FRANK LOHÉAC-AMMOUN

LE
POKER

D1157374

SOLAR

© Solar, 1990
ISBN 2-263-01546-9

SOMMAIRE

CHAPITRE 1

LES ÉLÉMENTS DU JEU AU POKER FERMÉ

Il existe deux grands types de jeu au Poker : le Poker dit « fermé », qui tire son nom du fait que toutes les cartes sont distribuées face cachée, et le Poker dit « ouvert », où un certain nombre de cartes sont distribuées face visible. Les règles concernant ces deux formes de jeu varient quelque peu, surtout en ce qui concerne la distribution des cartes. Durant les six premiers chapitres nous étudierons le Poker fermé, puis le Poker ouvert dans un dernier chapitre.

GÉNÉRALITÉS

LE MATÉRIEL NÉCESSAIRE

Pour jouer au Poker, il faut un jeu ordinaire de 52 cartes, neuf ou en excellent état. En pratique, il est préférable de prévoir également un second jeu afin de pouvoir changer les cartes en cours de route, au cas où l'une d'elles viendrait à se salir ou à être marquée d'un pli ou d'un coup d'ongle. Au Poker plus que dans tout autre jeu, il est en effet absolument indispensable que les cartes conservent un anonymat absolu et ne puissent être reconnues par un signe extérieur, quand bien même ce signe serait visible de tous.

Le Poker étant un jeu où s'effectuent des mises, les joueurs doivent pouvoir disposer de fiches ou de jetons leur permettant de matérialiser leurs enjeux. On choisira une boîte où les jetons sont suffisamment diversifiés, bien reconnaissables, et assez nombreux pour éviter d'avoir recours en plein milieu de partie à divers objets hétéroclites pour représenter les mises : bouts d'allumettes, haricots, cigarettes, etc.

La table de jeu a également une grande importance, et doit si possible être ronde ou ovale, afin de pouvoir accueillir le plus de participants dans les meilleures conditions de confort, les séances de jeu durant souvent plusieurs heures. La lumière doit également être appropriée et la salle suffisamment aérée.

LES CARTES

On utilise au Poker un jeu ordinaire, dont les 52 cartes se répartissent en quatre couleurs différentes : Pique, couleur représentée par les symboles P ou ♠ ; Cœur, couleur représentée par les symboles C ou ♥ ; Carreau, couleur représentée par les symboles K ou ♦ ; Trèfle, couleur représentée par les symboles T ou ♣.

Chaque couleur comporte treize cartes. Ces couleurs n'ont d'autre utilité que de différencier les quatre familles, dont aucune n'a le pas sur une autre durant le déroulement du jeu : il est en pratique absolument indifférent que les cartes représentant une combinaison donnée appartiennent à une couleur plutôt qu'à une autre.

Quatre cartes portent un nom : l'As, le Roi, la Dame et le Valet. Ces trois dernières cartes sont également désignées du nom générique de « cartes habillées », de « figures » ou de « filets », du fait qu'elles représentent des personnages vêtus et que leur bord est entouré d'un fin liséré. Les neuf autres cartes de chaque famille sont désignées par leur numéro, qui va du dix au deux.

Le Roi de Pique   Le sept de Trèfle

Les cartes seront représentées dans ce livre, selon le cas, par la première lettre de leur nom ou par leur numéro : la lettre A représentera par exemple un As, le V un Valet et le 9 un neuf. Une carte peut ainsi être parfaitement identifiée par l'indication de son rang et de sa couleur : R♠ pour le Roi de Pique ou 7♣ pour le sept de Trèfle.

LA VALEUR DES CARTES

L'ordre de force des cartes va en décroissant de l'As, qui est la plus forte carte, au deux qui est la moins forte. Cependant, dans le cas de la « quinte américaine » (As, 2, 3, 4, 5), on considère parfois que l'As peut prendre deux valeurs : soit celle de l'As proprement dit, c'est-à-dire la carte la plus forte du jeu, soit celle du un, c'est-à-dire la carte la plus basse du jeu comme au Tarot. Pour éviter tout malentendu, il est préférable de se mettre d'accord sur ce point important avant le début de la partie.

LE NOMBRE DE PARTICIPANTS

Le Poker se joue normalement à 4, 5, 6, ou 7 joueurs. Il peut également se jouer avec un nombre de participants inférieur à 4 ou supérieur à 7, mais la plupart du temps au détriment de l'intérêt du jeu. Il arrive pourtant que l'on voie des parties à 10 joueurs ou des mordus jouer en tête à tête. Les parties les plus agréables sont habituellement celles à 5, 6 ou 7 joueurs.

LE NOMBRE DE CARTES NÉCESSAIRE

Assez curieusement, le nombre de cartes nécessaire pour jouer n'est toujours pas établi de façon indiscutable, bien que le jeu existe depuis déjà longtemps. Non seulement le nombre de cartes optimal ne réunit pas l'unanimité, mais il fait même l'objet d'une controverse virulente entre deux écoles : les puristes affirment et maintiennent contre vents et marées que le jeu à 52 cartes est le seul vrai jeu, alors que les amateurs d'émotions fortes préfèrent faire varier le nombre de cartes en fonction du nombre de participants, pour créer des « rencontres » plus fréquentes entre gros jeux. La fréquence d'apparition de fortes combinaisons augmente en effet au fur et à mesure que l'on supprime des cartes du jeu.

On ne peut trancher sur ce point en se basant sur d'éventuelles lois ou recommandations édictées par les règles du jeu, car ces règles — qui ne sont pas encore bien fixées — sont régulièrement battues en brèche par les us et coutumes locaux. Je me rallierai dans ce livre à la conception américaine, qui est de conserver les 52 cartes du paquet quel que soit le nombre de participants. Tout d'abord parce que le Poker est pratiquement le jeu national aux États-Unis et qu'en cette matière il vaut mieux suivre l'avis de spécialistes, ensuite parce que la partie à 52 cartes, du fait qu'il est rare d'y voir de forts jeux, exige de bonnes capacités de manœuvre et par conséquent demande davantage de technique et de finesse que lorsqu'on joue avec un nombre de cartes moindre. L'apprentissage du jeu réalisé par la voie la plus difficile permet de se sentir plus tard à l'aise dans les autres types de parties, l'expérience montrant qu'il est beaucoup plus facile de passer du jeu à 52 cartes au jeu à 44 ou 40 cartes que de faire l'inverse. Autant donc prendre de bonnes habitudes dès le départ. Je donnerai cependant, le moment venu, les probabilités relatives aux parties jouées avec un nombre de cartes inférieur à 52.

LE DONNEUR

Le donneur distribue une par une cinq cartes face cachée à chaque participant, dans le sens des aiguilles d'une montre. Le premier donneur est déterminé par le sort, puis chaque joueur donne à tour de rôle. Les joueurs misent en fonction de la force de leur main, qui est le nom que l'on donne à l'ensemble des cartes d'un joueur. Seuls sont admis à participer à la suite du coup ceux qui ont égalé la mise la plus forte. Les joueurs toujours en lice après cette opération écartent, s'ils le désirent, un certain nombre de cartes, au choix, que le donneur remplace. Un deuxième tour de mises permet alors de dégager un vainqueur, qui est normalement le joueur possédant la plus forte combinaison. Ce dernier empoche la totalité des enjeux. Tous ces points seront développés dans la partie du chapitre 2 consacrée au déroulement du coup.

LE BUT DU JEU

Une partie de Poker consiste en une série de coups indépendants les uns des autres : le Poker est donc un jeu qui se joue au coup par coup. Le but des joueurs n'est pas de réaliser un certain nombre de levées, comme au Bridge, ou d'atteindre un certain nombre de points, comme à la Belote, il est de posséder la plus forte combinaison sur chaque coup. Mais, pour gagner, il suffit parfois de faire croire aux autres participants que l'on possède la plus forte combinaison. Le but du jeu devient donc : posséder sur chaque donne la plus forte combinaison de cartes, ou parvenir à faire croire aux adversaires qu'on possède une combinaison plus forte que la leur.

LES DIFFÉRENTES COMBINAISONS

A tout moment, chaque joueur possède dans sa main cinq cartes, qui donnent lieu à neuf types de combinaisons, analysées ci-dessous par ordre de force croissant.

LA CARTE ISOLÉE

Lorsque les cartes d'une main sont toutes dépareillées, c'est-à-dire ne se suivent pas, ne sont pas de valeur égale ou ne sont pas de même couleur, la main ne vaut que par sa carte la plus forte.

Carte isolée, valant un Roi

La main ci-dessus vaut un Roi :
— ses cinq cartes ne sont pas de la même couleur.
Notez que l'on parle des couleurs du jeu Pique, Cœur,

Carreau et Trèfle, et non des couleurs rouge et noir : dans cette optique une carte à Carreau et une carte à Cœur sont considérées, bien que rouges toutes les deux, comme étant de couleurs différentes ;

— ses cinq cartes ne se suivent pas. Quatre d'entre elles se suivent, du huit au Valet, mais le Roi ne fait pas partie de cette suite ;

— ses cinq cartes ne comportent pas de cartes de valeur équivalente : ni deux Rois, ni deux Valets, ni deux dix, ni deux neuf, ni deux huit ;

La valeur de cette main correspond donc à sa carte la plus forte, c'est-à-dire au Roi. Lorsque deux joueurs qui s'opposent ont des cartes isolées, c'est celui qui possède la carte la plus forte qui gagne. Si leurs cartes les plus fortes sont de même valeur, ils se départagent par la valeur de la plus forte carte suivante, et ainsi de suite. Dans l'exemple ci-dessus, la carte isolée la plus forte est le Roi, la suivante est le Valet, etc. En cas d'égalité totale, les joueurs se partagent les enjeux misés sur le coup.

On notera que la carte isolée ne représente pas à proprement parler une combinaison, mais se définit plutôt comme l'absence d'une des huit autres combinaisons qui suivent.

LA PAIRE

Lorsque deux cartes sont de valeur égale, elles forment une paire. La combinaison appelée paire se caractérise par deux cartes de même valeur et trois cartes dépareillées.

Paire de Valets

La main précédente se compose d'une paire de Valets, accompagnée d'un six, d'un cinq et d'un trois.

La main est désignée par le nom des cartes formant la paire. Celle-ci est donc appelée paire de Valets. Si deux joueurs qui s'opposent ont chacun une paire, c'est le possesseur de la paire la plus forte qui gagne le coup. Si les deux joueurs ont des paires égales, on compare la plus forte de leurs cartes isolées, qui dans la main précédente est un six. Si ces cartes sont elles-mêmes de même hauteur, on compare les cartes suivantes. En cas d'égalité totale, les joueurs se partagent les enjeux misés sur le coup.

LA DOUBLE PAIRE

Cette combinaison, comme son nom l'indique, est formée de deux paires différentes auxquelles s'ajoute une carte dépareillée. Elle est désignée habituellement sous le terme de « Deux paires aux "nom de la paire la plus forte" par les "nom de la paire la moins forte" ». Le cas de figure ci-dessous se définit ainsi : « Deux paires aux Rois par les Dames », en abrégé « Deux paires Rois-Dames », la paire la plus forte étant formée de deux Rois et la plus faible de deux Dames.

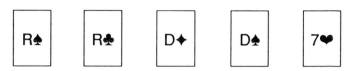

Deux paires aux Rois par les Dames

Lorsque deux possesseurs d'une double paire s'affrontent, c'est le joueur dont la meilleure paire est la plus forte qui l'emporte. Si un joueur possédant deux paires As-Deux s'oppose à un joueur qui détient deux paires Rois-Dames, c'est le premier nommé qui ramasse les mises du fait que sa paire d'As est plus forte que la paire de Rois adverse. Si les plus fortes paires de chaque joueur sont de niveau égal, on compare dans l'ordre leur autre paire et en cas de nouvelle égalité leur carte isolée. En cas d'égalité complète, les joueurs se partagent les enjeux misés sur le coup. Notons que l'indication de la seconde paire est souvent sans importance, le simple énoncé de la paire la plus haute suffisant pour déterminer le gagnant ou le perdant. En pratique, on nomme donc communément cette combinaison du seul nom de la paire la plus haute, et l'on ne précise la hauteur de la seconde qu'en cas de nécessité. La main représentée plus haut s'annonce donc « deux paires-Rois ».

LE BRELAN

La combinaison appelée brelan est formée de trois cartes de valeur identique, et donc de deux cartes dépareillées. Avec le brelan, on quitte le domaine des combinaisons faibles pour entrer dans celui des combinaisons de force moyenne.

Brelan d'As

Un brelan est désigné du nom des cartes qui le composent. La main illustrée ci-dessus représente le brelan d'As, qui est le plus fort de tous les brelans. Si plusieurs joueurs ont un brelan, c'est celui qui possède le brelan formé des cartes les plus fortes qui logiquement l'emporte. Deux joueurs ne pouvant avoir des brelans identiques, il ne peut y avoir d'égalité dans ce cas.

15

LA QUINTE

Une quinte est formée de cinq cartes qui se suivent. Ces cartes ne doivent pas être de la même couleur, sinon il ne s'agit plus d'une simple quinte mais d'une quinte flush, combinaison la plus forte du jeu (voir plus bas).

Quinte au Valet

La quinte appartient encore à la catégorie des combinaisons moyennes, mais se situe à la frontière séparant ces dernières des combinaisons fortes. On la nomme habituellement du nom de sa plus forte carte. La quinte illustrée ci-dessus est une quinte au Valet.

Quinte américaine

Il faut, rappelons-le, décider en début de partie si l'As peut tenir la place du 1, et donc si la quinte dite « américaine » est ou non admise. La main ci-dessus représente une quinte américaine. Elle est formée de la suite de cartes allant du cinq à l'As. Notez que la carte la plus forte de la quinte américaine n'est pas l'As, mais le cinq : cette quinte est donc la plus faible de tout le jeu. Si deux joueurs qui s'opposent ont chacun une quinte, c'est celui dont la quinte est la plus forte qui l'emporte. En cas d'égalité, les joueurs se partagent les enjeux.

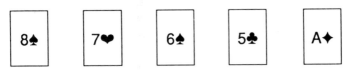

Quinte américaine dans le jeu à 40 cartes

Notons que si l'on décide de jouer à moins de 52 cartes en acceptant la quinte américaine, l'As prend la place non plus du un mais de la carte la plus basse du jeu. Si l'on joue à 40 cartes, la carte la plus basse est le cinq. Dans ce cas, l'As prend la place du quatre. La main ci-dessus représente la quinte américaine correspondante.

LA COULEUR

La couleur, comme son nom le laisse deviner, est formée de cinq cartes de même couleur. On lui donne aussi le nom de « flush » ou « floche ». Avec cette combinaison, on entre dans la catégorie des mains puissantes. Notez que, pour des raisons identiques à celles exprimées au paragraphe ci-dessus, ces cartes ne doivent pas se suivre sinon ce n'est plus une simple couleur que l'on obtient mais une quinte flush, combinaison la plus forte du jeu.

Couleur à la Dame

La combinaison représentée ci-dessus illustre une couleur à Pique. Si deux joueurs ont une couleur, on les départage comme dans le cas de la carte isolée, en comparant leurs plus fortes cartes à tour de rôle. C'est pour cette raison que cette combinaison n'est pas désignée du nom de sa couleur mais du nom de sa plus forte carte. On dit donc de la combinaison représentée ci-dessus qu'elle est une couleur à la Dame et non qu'elle est une couleur à Pique. Le fait important est qu'elle soit à la Dame et non qu'elle soit à Pique. Rappelons ce que nous avons dit plus haut : les couleurs n'interviennent que pour différencier les familles de cartes, et n'ont aucune influence sur le déroulement du jeu. Indiquons, mais cela va de soi, qu'en cas d'égalité totale entre deux joueurs, ces derniers se partagent les mises en jeu.

LE FULL

Le full, abréviation de l'anglais « full house » (littéralement « maison pleine »), est une combinaison puissante, formée d'un brelan et d'une paire.

Full aux 9 par les 4

Le full est désigné par le terme « full au "nom du brelan" par les "nom de la paire" ». Le full ci-dessus est donc un full aux neuf par les quatre. Comme dans le cas de la double paire, on n'indique pas en pratique la hauteur de la paire. La main ci-dessus s'annonce normalement comme un « full aux neuf ». Quand deux joueurs ont des fulls, c'est la hauteur du brelan qui sert à les départager. Il ne peut donc y avoir égalité.

LE CARRÉ

Le carré est formé de quatre cartes identiques. Avec çette combinaison, on entre maintenant dans le domaine des mains très puissantes, pratiquement imbattables.

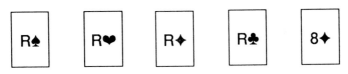

Carré de Rois

Le carré est désigné du nom des cartes qui le composent. La combinaison représentée ci-dessus est un carré de Rois, l'une des plus fortes combinaisons du jeu de Poker.

LA QUINTE FLUSH OU FLOCHE

La quinte flush est, comme son nom l'indique, un combiné de quinte et de flush. En d'autres termes, elle est formée de cinq cartes qui se suivent, comme dans la quinte, mais de couleur identique, comme pour une couleur.

Quinte flush à l'As, dite quinte flush royale

La quinte flush est désignée par la carte la plus haute de la quinte. La combinaison représentée ci-dessus, la plus forte du jeu, est une quinte flush à l'As, encore appelée quinte flush royale. Elle constitue une assurance de gain sur absolument n'importe quel coup. Les quintes flush étant rarissimes, se heurter à un joueur possédant une autre quinte flush est en pratique inconcevable. Si cela se produit quand même, on départage les deux joueurs par la hauteur de leur quinte. Rappelons ici le conseil donné dans un précédent ouvrage (*Tous les jeux de cartes*, Ed. Solar) : si cette mésaventure vous arrivait un jour, quittez la table, à moins d'être absolument sûr des autres participants. Les probabilités pour que vous ayez affaire à une « parisienne » (nom donné dans l'argot français du jeu à une partie « arrangée ») sont nettement trop élevées.

Pour conserver un peu de piment à la partie, certains joueurs adoptent la convention selon laquelle la plus forte quinte flush, c'est-à-dire la quinte flush royale, est battue par le plus petit carré. Ils ne disent pas ce qui se passe si une donne oppose un jour une quinte flush, un carré de deux et un carré de Dames : qui gagne dans ce cas ?

NOMBRE DE CARTES NÉCESSAIRE PAR RAPPORT AU NOMBRE DE PARTICIPANTS

Nous avons dit plus haut que certains joueurs, dont nous ne sommes pas, préféraient jouer avec un nombre de cartes variable selon le nombre de participants. Ce nombre est déterminé par la fomule suivante : on soustrait de 9 le nombre des joueurs. Le chiffre obtenu indique la carte la plus basse à conserver dans le jeu. S'il y a par exemple cinq participants, on soustrait 5 de 9 et on obtient 4. Il faut donc jouer avec toutes les cartes jusqu'au quatre inclus, c'est-à-dire avec un paquet de 44 cartes. Pour vous simplifier les calculs, voici un petit tableau récapitulant le nombre de cartes minimum selon le nombre de participants :

Joueurs	Carte la plus basse à conserver	Nombre de cartes
2	9 - 2 = 7	32
3	9 - 3 = 6	36
4	9 - 4 = 5	40
5	9 - 5 = 4	44
6	9 - 6 = 3	48
7	9 - 7 = 2	52

VALEUR DES COMBINAISONS EN FONCTION DU NOMBRE DE CARTES UTILISÉES

L'échelle de force des combinaisons donnée plus haut n'est pas le fruit du hasard mais correspond aux fréquences d'apparition de ces combinaisons : les plus probables ne valent pas grand-chose, tandis que les plus rares sont cotées cher. Cependant, si l'on modifie le nombre de cartes utilisées, les probabilités changent et par conséquent le classement de ces combinaisons. Les séquences et les fulls deviennent en particulier de plus en plus fréquents au fur et à mesure que diminue le nombre de cartes. Le calcul est un peu compliqué, mais disons que l'inversion des fréquences se fait approximativement aux alentours de 40 cartes. Nous vous conseillons donc d'adopter les règles suivantes :

— à 36 cartes et moins, le brelan bat la quinte et la couleur bat le full ;

— à 40 cartes et plus, la quinte bat le brelan et le full bat la couleur.

CHAPITRE 2

RÈGLES DU JEU ET DÉROULEMENT DU COUP

Ce chapitre permet de passer en revue les éléments et règles du jeu auxquels il sera fait référence tout au long de l'ouvrage, et de suivre dans ses grandes lignes le déroulement d'un coup.

LA CAVE, LE CHIP

Le Poker est un jeu d'argent. Il existe deux façons différentes de fixer la somme maximale pouvant être misée sur chaque coup, selon que l'on joue au Poker sans limites ou au Poker avec cave obligée.

• *Le Poker sans limites*

Dans cette forme de jeu, les joueurs ne sont pas limités dans leurs mises. En cas de rencontre entre deux forts jeux et des joueurs particulièrement têtus, on peut parfaitement voir ces derniers utiliser d'abord leurs jetons, puis sortir leur argent liquide ou même leur chéquier... Cette variante est, on le voit, démesurément dangereuse. Elle est régulièrement jouée dans quelques cercles fermés de milliardaires, principalement aux États-Unis, mais n'a pas sa place dans les parties ordinaires. On a donc modéré le jeu en limitant les mises de la façon suivante :

— « fixed limits » : on décide en début de partie du montant maximal des relances. Ce montant est fixe, quelles que soient les sommes en jeu ;

— « pot limit » : cette règle fixe une limite à la fois pour l'ouverture d'un pot et pour les relances qui pourront être effectuées par la suite. Cette limite dépend des sommes en jeu.

• *Le Poker à cave obligée*

Chaque joueur achète en début de partie une unité de base de jetons permettant de matérialiser les enjeux. Dans une partie où les joueurs se connaissent peu ou pas, mieux vaut faire payer immédiatement cette première cave et les suivantes. Le joueur se chargeant de la comptabilité des caves (normalement l'organisateur de la partie) est dans ce cas redevable aux gagnants des sommes éventuellement manquantes. C'est donc à lui de vérifier soigneusement les sommes déposées par les joueurs en échange de leurs jetons. Dans les parties entre amis, il n'est normalement pas nécessaire de se montrer aussi strict : il suffit de tenir le compte du nombre de caves prises par chaque joueur et de régler les différences en fin de partie.

Le montant de la cave doit être proportionné à la physionomie que l'on désire donner à la partie. Trop faible, elle n'a pas d'intérêt et gêne le jeu ; trop forte, elle a tendance à encourager les gros écarts. Le mieux est de la fixer à environ cinquante fois le montant du « chip », c'est-à-dire du jeton le moins cher représentant l'enjeu minimal. Le mot chip vient en effet de l'anglais *cheap* qui signifie bon marché, peu cher. Pour calmer le jeu, certains joueurs divisent en fin de partie les montants perdus ou gagnés par un coefficient fixé à l'avance, par exemple 10. L'intérêt de cette façon de faire est de pouvoir jouer assez cher mais sans que les écarts soient importants. Dans le feu de l'action, on finit en effet par oublier que toutes les enchères sont à diviser et l'on reprend rapidement les mêmes réflexes que si l'on jouait pour les sommes apparemment en jeu. Si on joue au dixième, on est psychologiquement moins tenté d'entrer dans tous les coups : une relance de 1 000 francs fait, par exemple, plus réfléchir qu'une relance de 100 francs. En d'autres termes, plus les sommes en jeu sont importantes et plus on se concentre. Le jeu au dixième est donc vivement conseillé aux joueurs ne désirant pas faire de différences, mais voulant conserver une certaine tenue à la partie à laquelle ils participent.

LE RECAVAGE

Le joueur décavé, c'est-à-dire ayant perdu les jetons qu'il avait devant lui, est tenu de se recaver. Cependant, il n'est pas nécessaire d'être démuni de jetons pour se recaver : tout joueur peut, s'il le désire, prendre de nouvelles caves en cours de partie. La seule condition pour se recaver est que cette opération s'effectue entre deux coups : si les joueurs avaient en effet le droit de se recaver en milieu de coup, on quitterait le domaine de la partie avec cave obligée pour rentrer dans le cadre de la partie sans limites. Notons que, s'il est permis de prendre de nouvelles caves, il est par contre interdit de restituer des caves pour tenir ses gains à l'abri des relances adverses : tous les jetons achetés doivent rester sur la table jusqu'à la fin de la partie. La coutume veut également que, si un nouveau venu entre dans la partie en cours de jeu, il se recave soit à la hauteur du plus fort perdant en prenant autant de caves que ce dernier, soit à la hauteur moyenne, c'est-à-dire en prenant autant de caves qu'il y en a en moyenne par joueur.

TAPIS ET JEU A LA HAUTEUR

L'ensemble des jetons situés devant un joueur est appelé tapis de ce joueur, tandis que l'ensemble des enjeux situés au centre de la table est appelé tapis de la table ou plus simplement tapis.

Chaque joueur doit disposer son tapis devant lui de façon bien visible, afin que les autres participants puissent en faire une estimation rapide et pertinente d'un seul coup d'œil. La règle veut qu'un joueur ne soit engagé que jusqu'à concurrence de son tapis : il ne peut relancer ou être relancé que de la somme qu'il a devant lui. Il existe pourtant une exception à ce principe : un joueur peut se déclarer en début ou en cours de partie « à la hauteur », ce qui signifie qu'il désire pouvoir s'engager sur chaque coup jusqu'à concurrence du tapis adverse le plus élevé. Cette convention permet d'éviter de ralentir le jeu comme ce serait le cas si ce joueur interrompait fréquemment la partie pour ce recaver. La plupart du temps, on n'admet qu'un seul joueur à la hauteur dans une partie. Indiquons, mais cela va sans dire, qu'il est impossible de se déclarer à la hauteur en plein milieu d'un coup.

LE PRORATA DU TAPIS

Il arrive parfois qu'un joueur ait un tapis insuffisant pour suivre une ouverture ou une relance. On admet dans ce cas qu'il peut néanmoins participer au coup, mais au prorata de son tapis, c'est-à-dire qu'il ne sera intéressé au gain qu'à concurrence de sa mise.

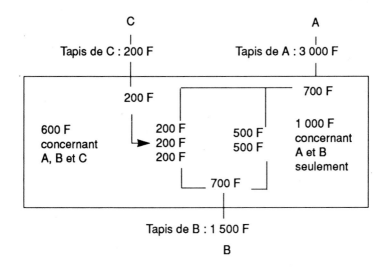

C   A

Tapis de C : 200 F   Tapis de A : 3 000 F

200 F   700 F

600 F concernant A, B et C   200 F / 200 F / 200 F   500 F / 500 F   1 000 F concernant A et B seulement

700 F

Tapis de B : 1 500 F

B

Le prorata du tapis

Imaginons la position représentée au diagramme ci-dessus. Le tapis du joueur A est de 3 000 francs, celui du joueur B est de 1 500 francs et celui du joueur C est de 200 francs. A mise 700 francs et B suit à 700 francs. C peut participer au coup à raison de 200 francs. En pratique on partage les jetons centraux en deux parts. La première correspond à la somme misée par C et pour laquelle il joue, soit trois fois 200 francs. La seconde part correspond à la somme de laquelle C est exclu. Si A ou B gagnent le coup, ils ramassent l'intégralité des enjeux. Par contre, si C gagne le coup, il ne remporte que les 600 francs pour lesquels il concourt. Les 1 000 francs restant sont remportés par celui de A ou de B qui a le meilleur jeu. Notons qu'il peut y avoir plus de deux pots. Si par exemple deux joueurs ont un tapis inférieur aux sommes misées, on partage les enjeux centraux en trois cas, chaque joueur concourant pour la somme qu'il a engagée.

LA PLACE DES JOUEURS

Une phase importante du jeu passe le plus souvent complètement inaperçue : le placement des joueurs autour de la table de jeu. Bien plus qu'une péripétie triviale, il peut engager la stratégie d'un joueur. La place que l'on occupe par rapport à un joueur au tempérament agressif, par exemple, n'est pas indifférente. Si celui-ci parle avant, il peut se montrer utile en faisant « mousser » le jeu par des relances brutales, ce qui permet de disposer d'un choix agréable : profiter de l'aubaine avec un beau jeu ou jeter ses cartes avec une main nulle. L'intérêt de cette option est que la décision est gratuite puisqu'on n'a pas encore engagé d'argent. Si par contre le relanceur « fou » est situé derrière soi, on ne peut toujours pas contrôler ses relances, mais la différence consiste en ce que l'on a déjà engagé de l'argent sur le coup. Le choix est donc plus douloureux. Jouer avec un tel joueur derrière soi n'est pas de tout repos, ce qui n'est pas du goût de tout le monde. C'est pour cette raison que l'on utilise le tirage au sort pour fixer la place des joueurs autour d'une table. On utilise normalement l'une des deux méthodes décrites ci-dessous.

La méthode la plus simple consiste à faire tirer une carte à chaque joueur. Celui dont la carte est la plus forte choisit sa place, le joueur ayant la deuxième meilleure carte s'assied à sa gauche, et ainsi de suite jusqu'à ce que tous les participants soient assis.

L'autre méthode est légèrement plus complexe mais présente l'avantage de laisser le hasard choisir complètement. On écarte du jeu autant de paires différentes qu'il y a de joueurs, par exemple une paire d'As, une paire de Rois, une paire de Dames, etc. On sépare ensuite ces paires en deux. La première partie de ces cartes est étalée sur la table au hasard, puis on bat l'autre partie et on présente les cartes aux joueurs pour un tirage au sort. Chacun prendra place face à l'autre moitié de sa paire.

LES CONVENTIONS DE JEU

Une fois assis, les joueurs doivent fixer les conventions qu'ils entendent adopter pour la partie. Il leur faut décider du nombre de cartes utilisées, du nombre de cartes pouvant être échangées lors de la deuxième distribution et de la valeur des combinaisons. A moins de 40 cartes, le brelan prime par exemple sur la quinte, et la couleur sur le full. Il leur faut aussi fixer le montant du chip et celui de la cave. Mais ce n'est pas tout ; pour éviter tout incident, il leur faut également décider si la quinte américaine est acceptée ou non et, *last but not least,* l'heure de la fin de partie.

LA DONNE

La donne s'effectue en deux étapes. Après chaque distribution, un tour d'enchères prend place.

• *La première distribution*

Le donneur, nous l'avons déjà dit au premier chapitre, donne une à une cinq cartes face cachée à chaque participant, dans le sens des aiguilles d'une montre en commençant par son voisin de gauche. Le donneur change à chaque coup, et la donne tourne dans le sens du jeu.

Sur le diagramme p. 30, A est donneur. Il distribue une à une cinq cartes à chacun des participants, de la gauche vers la droite, c'est-à-dire en commençant par B et en terminant par lui-même. Il peut auparavant

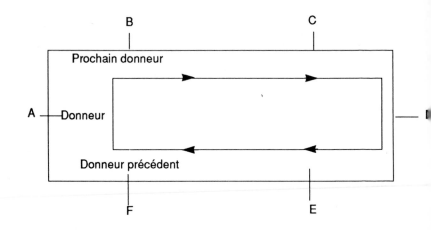

Le sens de la donne

battre le jeu et le faire couper par son voisin de droite, c'est-à-dire F, avant de donner. Il lui est également possible de « passer la main », ce qui a pour résultat de lui faire passer son tour. C'est alors B qui donnera à sa place. Ce procédé est assez couramment employé bien qu'il soit de mauvaise politique, le donneur abandonnant un avantage important qui est de parler en dernier.

Il arrive qu'une fausse donne se produise parfois. Voici quelles règles s'appliquent alors :

— un joueur a touché quatre cartes au lieu de cinq : s'il n'a pas vu son jeu, il reçoit tout simplement la première carte du paquet pour compléter sa main. S'il a vu son jeu, il peut également participer au coup, mais seulement avec ses quatre cartes. Au cas où il voudrait échanger des cartes lors de la deuxième distribution, il ne peut recevoir plus de cartes qu'il n'en a, c'est-à-dire plus de quatre cartes ;

— un joueur a touché six cartes au lieu de cinq : s'il n'a pas vu son jeu, il rend la dernière carte reçue et peut participer au coup normalement. S'il a vu sa main, il est exclu du coup mais peut cependant reprendre sa mise éventuelle ;

— le donneur retourne une ou plusieurs cartes : deux cas peuvent se produire. Si une seule carte a été retournée, le joueur à qui elle revient doit l'accepter, mais si trois cartes ont été retournées sur la même donne, le coup est annulé.

• Le premier tour d'enchères

Les joueurs ont maintenant chacun cinq cartes en main. Ils misent en fonction de la force de leur main, à tour de rôle dans le sens du jeu, c'est-à-dire en commençant par le joueur situé à la gauche immédiate du donneur. Le joueur dont c'est le tour de parole dispose des choix suivants :

— passer, c'est-à-dire n'effectuer aucune mise ;

— miser, c'est-à-dire déposer un enjeu au centre de la table ;

— égaliser, c'est-à-dire déposer une somme égale à la plus forte somme déjà misée ;

— relancer, c'est-à-dire mettre une somme supérieure à la plus forte mise.

Seuls les joueurs ayant égalisé la plus forte mise sont autorisés à poursuivre le jeu. Ils bénéficient alors d'une deuxième distribution de cartes, toujours opérée par le même donneur. Les autres joueurs ne participent plus au coup et perdent leur mise.

• La seconde distribution

Les joueurs toujours en lice après le premier tour d'enchères peuvent écarter leurs cartes inutiles, qui sont remplacées par le donneur. Chaque joueur peut écarter le nombre de cartes qu'il désire, jusqu'à cinq, c'est-à-dire toute sa main. Ce point doit être fixé en début de partie, certaines tables n'autorisant en effet qu'un écart de trois ou de quatre cartes au maximum.

En pratique, les joueurs écartent leurs cartes, face cachée, sur la pile de défausse créée par le joueur précédent et annoncent à haute voix le nombre de cartes qu'ils souhaitent en échange. Par exemple « Trois cartes », « Deux cartes », etc. S'ils omettent de le faire, le donneur leur demande quel est leur écart. Pour cela, la formule « Combien ? » ou « Cartes ? » est généralement employée. Un joueur peut refuser de prendre de nouvelles cartes s'il pense que sa main est suffisamment forte, et annonce alors « Servi » au donneur. Celui-ci délivre les nouvelles cartes aux joueurs au fur et à mesure que ces derniers en font la demande, dans le sens du jeu. Les joueurs effectuent par conséquent leur écart avant de savoir combien les participants suivants désirent échanger de cartes. Celles-ci leur sont données en une seule fois, sauf pour les demandeurs de quatre et cinq

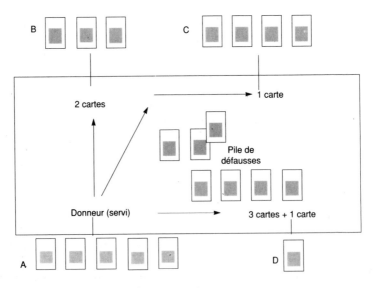

L'échange des cartes

cartes : dans ce cas, le donneur distribue d'abord trois cartes, fait passer une carte sous le talon puis leur donne le reste de leurs cartes. S'il manque des cartes au talon pour servir tous les joueurs ou si le talon ne comporte plus qu'une carte, le donneur ramasse les cartes écartées par les autres joueurs, les bat, les fait couper et les utilise pour acheter la donne.

Sur le diagramme représenté page ci-contre, B, qui est premier à parler, déclare « Deux cartes » et jette un nombre équivalent de cartes au centre de la table. A lui sert alors deux cartes. Puis c'est au tour de C, qui déclare « Une carte » et jette sa carte inutile au centre du tapis. A lui sert alors la carte qu'il réclame. Lorsque D demande ensuite quatre cartes, A opère en deux temps : il lui donne d'abord trois cartes, fait glisser la carte suivante sous le paquet et lui sert seulement ensuite la dernière carte. Le paquet étant souvent mal battu, on évite ainsi qu'un joueur reçoive un jeu déjà formé. Une fois que D a reçu son dû, A qui ne désire changer aucune carte déclare à haute voix « Servi » pour tenir les autres joueurs informés du fait qu'il ne prend aucune carte. La seconde distribution est à présent achevée et le second tour d'enchères peut débuter.

• *Le second tour d'enchères*

Une fois la seconde distribution achevée, les enchères reprennent. Le premier joueur à parler n'est toutefois plus celui situé à la gauche immédiate du donneur, mais celui ayant « ouvert » au tour d'enchères précédent, c'est-à-dire celui ayant le premier effectué une mise. Si ce joueur a été éliminé entre-temps, c'est au joueur suivant qu'il appartient d'entamer les hostilités. Si tous les joueurs passent, on fait généralement un pot (voir plus loin la signification de ce terme). Si des joueurs misent, deux cas peuvent se produire : si aucun joueur n'égale la plus forte mise effectuée, l'initiateur de celle-ci ramasse tous les enjeux. Si un ou plusieurs autres joueurs égalent cette mise (on dit qu'ils paient « pour voir »), les joueurs en lice montrent leur main en commençant par l'initiateur de la plus forte mise. C'est alors le possesseur du plus fort jeu qui ramasse les enjeux. Indiquons également qu'un joueur qui se déclare de lui-même battu n'est pas tenu de montrer son jeu aux autres joueurs.

LA FIN DE LA PARTIE

Une partie de Poker, étant formée d'une succession de coup indépendants, n'a théoriquement ni début ni conclusion. Le plus souvent, la partie prend fin de façon informelle : soit par consentement mutuel des joueurs, soit par disparition progressive des joueurs. Cette dernière fin est cependant rare, car si tout joueur peut en principe cesser le jeu au moment de son choix (à condition naturellement que ce ne soit pas au milieu d'un coup), seuls les perdants y sont en pratique autorisés : il est en effet considéré comme du dernier des goujats de se lever avant la fin de la partie lorsque l'on est gagnant, ce qui s'appelle « faire Charlemagne ». Le problème, c'est que la plupart du temps les perdants s'accrochent et ne veulent jamais cesser le jeu. Si donc les perdants restent et si les gagnants ne sont pas autorisés à se retirer, comment mettre un terme à la partie ? Normalement, on décide avant le début de la partie d'arrêter celle-ci à une heure déterminée. En pratique, il en va rarement ainsi, et les gagnants sont le plus souvent forcés d'acheter leur départ par une ou plusieurs prolongations : généralement, une seule ne suffit pas. Ces prolongations peuvent se faire soit sous la forme d'un report de la limite de temps, soit au moyen de « tours de pot » supplémentaires, c'est-à-dire de coups joués en pot (voir au chapitre 3 la signification de ce terme). Chaque joueur donne alors à tour de rôle et garde la main tant que le coup n'a pas été joué : en cas de passe général, le même joueur redonne. Quand chacun a donné, le tour de pot est terminé. Pour éviter les arguments sans fin, il est préférable de se montrer strict sur l'horaire de fin de partie, de ne pas accorder de dérogations si l'on est gagnant, et de ne pas en demander lorsqu'on est perdant. Par contre, on peut se mettre immédiatement d'accord sur la date de la revanche !

CHAPITRE 3

JEU A POT CONTINU ET JEU AU BLIND

Le Poker fermé se sépare en deux branches qui se rejoignent assez souvent : le jeu à « pot continu » et le jeu au « Blind ». Pour obtenir de bons résultats, un joueur doit se sentir à l'aise dans l'une et l'autre de ces formes de jeu.

LA PARTIE A POT CONTINU SANS OUVERTURE OBLIGÉE

On distingue, on vient de le dire, deux types de jeu au Poker fermé : le jeu au « blind » et le jeu à « pot continu ». Ce dernier offre à son tour deux visages, le jeu à pot continu avec ouverture obligée et le jeu à pot continu sans ouverture obligée. Nous verrons d'abord la partie sans ouverture obligée. Ses règles sont d'ailleurs pour la plupart applicables au jeu avec ouverture obligée.

CONSTITUTION DU POT ET PREMIÈRE DISTRIBUTION DES CARTES

Dans la partie à pot continu, chaque joueur doit déposer une certaine somme au tapis, c'est-à-dire au centre de la table, au début de chaque nouveau tour

de jeu. Le montant de cette somme est fixée en début
de partie.

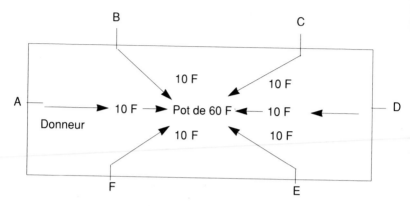

Création d'un pot

Une fois le pot ainsi constitué, le donneur opère la
première distribution. Celle-ci terminée, les joueurs
ont la parole à tour de rôle en commençant par le
joueur placé à la gauche immédiate du donneur, B au
diagramme ci-dessus. Chacun a le choix entre les
diverses options suivantes, que nous avons survolées
au chapitre précédent et que nous allons développer
maintenant.

LES CHOIX AVANT L'OUVERTURE

Si personne n'a encore ouvert, c'est-à-dire entamé
les hostilités en déposant le premier une somme
d'argent au centre du tapis, les joueurs disposent des
possibilités suivantes :

Passer

Le joueur qui ne désire pas effectuer de mise
manifeste son choix en passant. Pour cela il dit

« Parole », qui est le terme consacré dans ce cas. Les effets de ce passe diffèrent selon que le pot est (ou sera) ouvert, ou pas :

• si personne n'a ouvert auparavant, un joueur ne perd pas sa mise en passant. En cas de passe général, les mises restent au centre de la table et le donneur suivant effectue une nouvelle donne. Le plus souvent, il décide que tout le monde verse une nouvelle contribution au tapis, ce que l'on appelle « arroser le pot » ;

• si le pot est ouvert après qu'un joueur a passé, ce joueur a à nouveau la parole à son tour de jeu et peut décider s'il désire suivre en égalisant la somme misée, relancer en misant une somme plus forte ou passer. S'il égalise la somme misée par l'ouvreur ou s'il relance en misant une somme plus forte, il continue à participer à la suite du coup. S'il passe quand le pot est déjà ouvert, sa mise est perdue et il doit se retirer du coup.

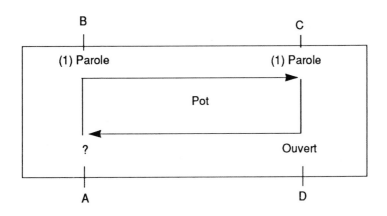

Le développement des enchères

A est donneur au diagramme ci-dessus et B parle en premier. Il passe, ainsi que C. Ces enchères, marquées (1) sur le diagramme, ne sont pas définitives, personne n'ayant encore ouvert. Si D ouvre à présent (voir le paragraphe ci-dessous), tous les autres joueurs, y compris ceux qui ont déjà passé, ont maintenant le droit à un nouveau tour d'enchères : A, B et C ont le choix entre passer, ce qui leur fait perdre leur mise, ou égaliser (voire relancer), ce qui leur permet de rester dans le coup.

Ouvrir

Pour ouvrir, c'est-à-dire déclencher les premières hostilités, il faut miser une certaine somme dont on annonce normalement le montant à haute et intelligible voix, par exemple en disant « Cinquante », avant de déposer les jetons correspondants au centre de la table. Si aucune convention n'a été adoptée en début de partie, la somme pouvant être misée par l'ouvreur est libre. Cependant, on lui fixe le plus souvent un maximum, qui est la hauteur du pot. Il arrive également que l'on fixe un minimum à la somme pouvant être misée à l'ouverture pour éviter que les pots soient systématiquement ouverts avec de faibles risques. Ce minimum d'ouverture est fixé en début de partie, ou par le donneur avant le début de sa donne. On retient en général comme seuil la hauteur du pot. Cette hauteur constitue donc souvent à la fois un minimum et un maximum. Si personne n'égalise la somme misée par l'ouvreur, celui-ci empoche la totalité des enjeux sans avoir à montrer son jeu. Avec cinq joueurs à table et une mise de 10 francs au pot avant le début de chaque coup, les pots sont par exemple chaque fois de 50 francs. Si l'on a adopté les règles que nous venons d'exposer, l'ouvreur ne peut ouvrir à plus ou à moins de 50 francs.

Si un joueur n'a pas suffisamment d'argent devant lui pour ouvrir, ou pour suivre une relance, il peut cependant participer au coup au prorata de son tapis, comme on l'a vu au chapitre deux. Cependant, si un minimum a été fixé à l'ouverture, on considère que le joueur dont le tapis est inférieur ne peut que suivre et non ouvrir. C'est à lui de se recaver avant le début de la donne s'il désire pouvoir ouvrir. Il vaut toutefois mieux préciser ce point en début de partie.

LES CHOIX APRÈS L'OUVERTURE

Quand un joueur a ouvert, les autres joueurs disposent des trois possibilités suivantes :

Passer

Si un joueur a déjà ouvert, le passe d'un joueur est définitif et lui fait perdre sa part des enjeux situés au centre de la table. En pratique on ne passe en abandonnant sa mise que si l'on estime sa main trop faible pour participer intelligemment à la suite du coup. Le joueur qui passe jette ses cartes face cachée devant lui, et manifeste clairement ses intentions en disant par exemple « Parole », « Non », ou « Sans moi ».

Suivre en égalisant

Lorsqu'un joueur se contente de mettre une somme égale à celle de l'ouvreur, on dit qu'il « suit » l'ouverture. Suivre donne droit à participer à la seconde distribution de cartes, à condition toutefois de suivre toute nouvelle relance effectuée par un autre joueur. S'il est interdit d'hésiter pour relancer (voir plus bas), il est toutefois licite de réfléchir pour suivre.

Relancer

On appelle relancer le fait de miser une somme supérieure à la précédente somme misée. On exige normalement de la relance qu'elle soit effectuée immédiatement et clairement. Supposons que la dernière mise soit de 100 : le joueur désirant relancer de 200 dira par exemple « 300 en tout », ou « Plus 200 », ou « 200 derrière », mais en aucun cas « 100 plus euh... voyons, euh... 200 », ou l'énoncé d'une somme après un temps d'indécision accompagné d'un regard appuyé vers le tapis d'un des joueurs : toutes les hésitations, réelles ou feintes, sont considérées comme un essai d'« intox », une tentative d'intimidation à bon marché, un peu naïve mais toujours punissable. En pratique, toute relance qui a été effectuée après hésitation marquée ou avec un temps de retard significatif peut être refusée. Dans ce cas, le fautif peut seulement suivre en égalisant l'ouverture ou la dernière relance. L'intérêt d'exiger une relance immédiate est de garder au jeu une certaine pureté, d'éliminer les temps morts inutiles et de s'épargner les mimiques de ceux qui croient intelligent d'essayer de jouer au plus fin.

Si tout le monde se contente de suivre simplement le relanceur, les enchères s'arrêtent avant ce dernier, qui n'a plus droit à la parole et ne peut se relancer lui-même. En revanche, s'il a été sur-relancé, il jouit d'un droit normal de parole à son tour de jeu : il peut, comme dans le cas général, passer, suivre ou relancer encore. Si personne n'égalise la dernière relance effectuée, son auteur empoche la totalité des mises sans avoir à montrer son jeu.

LA HAUTEUR DE LA RELANCE

La relance est normalement libre, mais il arrive souvent qu'on la limite par le système des « fixed limits » ou du « pot limit », dont nous avons déjà dit quelques mots au chapitre précédent. Voyons maintenant le mécanisme de ces deux systèmes :

« Fixed limits »

Dans ce système, on décide en début de partie du montant maximal des relances, mais ce montant est fixe quelles que soient les sommes en jeu. La mise maximale correspond donc à la mise précédente augmentée du montant de la relance fixe.

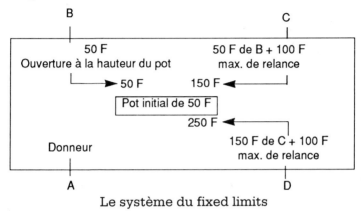

Le système du fixed limits

Supposons que la mise initiale de chaque joueur soit de 10 francs et que la limite de relance soit de 100 francs : si B ouvre à 50 francs, C ne peut miser plus de 150 francs : 50 francs pour égaler la mise de B et 100 francs maximum de relance. D ne peut à son tour miser plus de 250 francs : les 150 de C plus 100 francs de relance maximale. A serait de la même façon limité à 350 francs. On voit que plus il y a d'argent joué, plus la relance est faible et déséquilibrée par rapport aux sommes en jeu.

Le système des fixed limits présente donc l'intérêt de permettre de connaître à tout moment le montant maximal de la relance à laquelle on peut être soumis, mais fausse le jeu parce qu'en cas de coup cher il ne permet pas à la relance de jouer son rôle, qui est d'écarter les autres joueurs : supposons qu'il n'y ait plus quelques francs au tapis mais 1 000 francs. Si le premier joueur ouvre à 500 francs, le second joueur ne peut mettre que 600 francs, sa relance maximale étant toujours de 100 francs. Cette relance dérisoire ne peut effrayer personne. Une relance à 1 000 francs, par exemple, donnerait davantage à réfléchir. Pour cette raison, ce système n'est pas conseillé.

« Pot limit »

Cette règle fixe une limite pour l'ouverture d'un pot ou pour les relances pouvant être effectuées par la suite mais, à l'opposé du système exposé ci-dessus, cette limite varie selon les sommes en jeu. Le pot limit conduit donc à des parties plus vivantes tout en tempérant les parties trop sauvages, raison pour laquelle il est souvent adopté.

Il existe en fait trois systèmes différents de pot limit, de moins en moins restrictifs. Il faudra donc penser à fixer en début de partie lequel des trois sera éventuellement en vigueur. Les possibilités sont les suivantes :

• doublement de la mise précédente : selon ce système, un joueur peut ouvrir au maximum à la hauteur du pot (c'est-à-dire du montant des enjeux initiaux), et les relances ne peuvent excéder le double de la mise précédente.

Si nous reprenons l'exemple précédent, B ne peut ouvrir à plus de 50 francs, C ne peut alors relancer à plus de 100 francs, D ne peut miser plus de 200 francs et A ne peut miser plus de 400 francs. Il va de soi que ces limites s'appliquent aux relances réellement effectuées : si B ouvre de 50 francs et que C passe ou se contente de suivre à 50 francs, D peut miser seulement 100 francs et non 200 ;

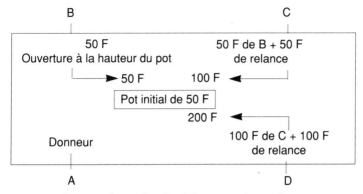

B   C

50 F   50 F de B + 50 F

Ouverture à la hauteur du pot   de relance

➤ 50 F   100 F ◄

Pot initial de 50 F

200 F ◄

100 F de C + 100 F

Donneur   de relance

A   D

Le système du doublement des mises

• hauteur du pot avant égalisation de la mise précédente : dans ce cas, un joueur ne peut miser plus de la hauteur du pot, compté avant égalisation de la mise du joueur précédent.

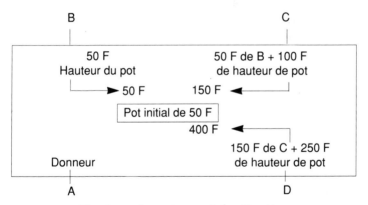

B   C

50 F   50 F de B + 100 F

Hauteur du pot   de hauteur de pot

➤ 50 F   150 F ◄

Pot initial de 50 F

400 F ◄

150 F de C + 250 F

Donneur   de hauteur de pot

A   D

Hauteur du pot avant égalisation
de la mise précédente

Supposons que le pot soit de 50 francs. B ne peut ouvrir en mettant plus de cette somme. S'il ouvre, il y a 50 + 50 = 100 F au pot. La relance maximale étant fixée à la hauteur du pot avant égalisation de la mise de B, C peut relancer au maximum de 100 francs. Avec les 50 francs destinés à égaliser la mise de B, il pourra donc déposer 150 francs en tout au tapis. Le pot s'élève maintenant à 250 francs : 50 francs du pot initial + 50 francs de B + 150 francs de C, et D peut relancer de 250 francs. Avec les 150 francs nécessaires à l'égalisation de la mise de C, il devra mettre 400 francs, etc ;

• hauteur du pot après égalisation de la mise précédente : ce système est le plus libéral des trois. Un joueur ne peut miser plus de la hauteur du pot, mais compté après avoir égalisé la mise du joueur précédent.

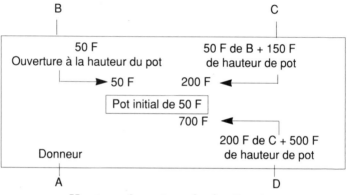

Hauteur du pot après égalisation
de la mise précédente

Reprenons l'exemple du pot à 50 francs. B ne peut ouvrir en mettant plus de cette somme. S'il ouvre, il y a 50 + 50 = 100 francs au tapis. Si C vient en mettant également 50 francs, il y aura 150 francs, ce qui, avec les 50 francs destinés à égaliser la mise de B, fait une somme totale de 200 francs. Le pot s'élève maintenant à 300 francs : 50 francs du pot initial + 50 francs de B + 200 francs de C. Si D vient en égalisant les 200 francs de C, il y aura 150 francs au pot. C peut donc relancer de 500 francs au tapis. D peut donc relancer de 500 francs. Avec les 200 francs nécessaires à l'égalisation de la mise de C, il peut jouer 700 francs, etc.

Nous conseillons le deuxième de ces trois systèmes.

LA DEUXIÈME DISTRIBUTION DE CARTES

Une fois la dernière relance égalisée par au moins un joueur, la seconde donne a lieu. Le donneur distribue autant de cartes que les joueurs en ont écartées. Une fois cette distribution achevée, l'ouvreur a la parole. On remarque que ce n'est plus le joueur situé à la gauche du donneur qui parle le premier mais l'ouvreur du pot, quelle que soit sa position par rapport au donneur. On dit que « l'ouvreur parle en premier ». Il est le premier à pouvoir miser, mais n'est pas tenu de le faire. Il annonce sa décision en disant par exemple « Parole » ou « Chip » ou « 200 », etc.

LE GAGNANT DU COUP

Si quelqu'un mise après l'écart, deux cas peuvent se produire : l'initiateur de la plus forte relance empoche tous les enjeux sans avoir à montrer ses cartes si personne n'a égalé sa mise, mais montre ses cartes si des joueurs l'ont « payé pour voir », c'est-à-dire ont égalé sa mise. Par contre, si personne ne mise, c'est-à-dire en cas de passe général, les joueurs participant encore au coup ont le choix entre deux formules : soit se partager les jetons situés au centre du tapis de façon égale, soit inviter les autres joueurs à participer au pot en leur demandant de compléter leurs enjeux précédents de façon à égaler la plus forte mise.

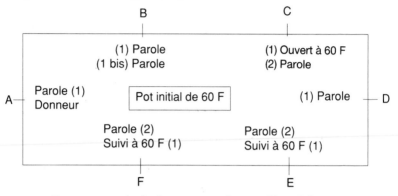

Le passe général au second tour d'enchères

Si l'on examine le premier tour d'enchères, marqué (1) au diagramme ci-dessus, on constate que B, premier à parler, passe. C ouvre alors à hauteur du pot, c'est-à-dire à 60 francs. D passe. Ce passe est définitif et D abandonne sa part du pot qui se monte à 10 francs. E et F suivent l'ouverture en misant également 60 francs. A passe. B retrouve la parole parce que son passe initial avait été effectué avant qu'un autre joueur n'ait ouvert. Son enchère est marquée (1 bis). B confirme sa première enchère en passant à nouveau. A ce stade il reste trois joueurs en lice : C, E et F. Après l'échange des cartes, c'est à C, l'ouvreur, de parler en premier. Supposons qu'il passe et que E et F passent également. La situation est la suivante :

Si on regarde le pot, on voit que les joueurs sont engagés pour des sommes différentes : C, E et F ont mis 60 francs en plus de leurs 10 francs initiaux. C, E et F ont le choix entre se partager les 240 francs du tapis ou inviter les autres joueurs à compléter leurs enjeux jusqu'à concurrence de 70 francs en tout. Dans ce cas, A, B et D devront mettre chacun

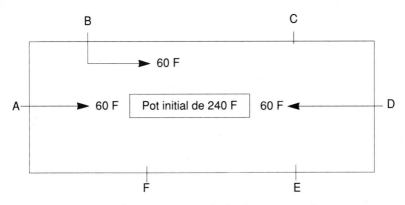

Le pot après un passe général au second tour
d'enchères

60 francs. Ce cas est le seul où des joueurs ayant
perdu leur mise sont autorisés à rejouer. La décision
entre l'invitation et le partage se fait normalement
par agrément mutuel. Si les sommes à gagner par le
partage sont minimes, les joueurs ont plutôt tendance
à inviter les autres joueurs afin de créer des pots plus
importants et donc augmenter l'intérêt de la partie.
Notons qu'il est parfois possible d'aboutir ainsi à des
pots d'une importance disproportionnée au tarif de la
partie. En pratique, on les partage le plus souvent en
plusieurs pots d'importance égale que l'on joue les
uns après les autres. Les pots en réserve sont dits
« au garage ».

LA PARTIE A POT CONTINU
AVEC OUVERTURE OBLIGÉE

L'OUVERTURE

La partie à pot continu sans ouverture se distingue
de la partie à pot continu avec ouverture du fait que

dans cette forme de jeu on exige une force minimale pour autoriser un joueur à ouvrir un pot. Cette force, appelée l'«ouverture», est soit fixée en début de jeu pour le restant de la partie, soit édictée au coup par coup par le donneur. L'ouverture est souvent fixée à une paire de Valets. Dans ce cas, un joueur doit pouvoir justifier d'au moins deux Valets ou mieux pour ouvrir, mais les autres joueurs peuvent le suivre avec n'importe quel jeu. Tout joueur peut demander à la fin du coup à l'ouvreur qu'il justifie son ouverture en montrant une combinaison au moins égale à la hauteur de l'ouverture. La sanction du défaut de présentation est radicale : l'ouvreur doit reconstituer le pot à ses frais. Il arrive parfois qu'un joueur soit amené à « casser » son ouverture pour chercher une autre combinaison, par exemple avec une paire de Valets et un tirage de couleur ou de quinte quand une relance importante d'un autre joueur lui donne à penser qu'un brelan ne sera pas suffisant pour gagner le coup. Il doit alors annoncer « Je casse l'ouverture », et conserver près de lui la carte qu'il rejette pour la présenter le cas échéant en fin de coup. Notons qu'aucune sanction ne s'applique à l'ouvreur capable de montrer en fin de coup une ouverture suffisante, même s'il apparaît qu'il ne pouvait posséder cette combinaison au moment où il a ouvert.

L'ACHAT

Le joueur situé à la gauche immédiate de l'ouvreur dispose d'une possibilité que nous n'avons pas encore analysée : « acheter » le pot en ouvrant sans voir son jeu. Le principal intérêt de cet achat est qu'il donne le droit de parler en dernier, c'est-à-dire en pratique de relancer. L'autre intérêt de l'achat est de permettre de ramasser le pot si personne ne suit. Son inconvénient majeur est bien entendu de risquer de l'argent à l'aveuglette, ce qui peut éventuellement conduire à perdre encore plus d'argent si l'on est tenté de défendre cette somme avec une main faible. Notons qu'il est possible d'acheter tout type de pot, avec ou sans ouverture obligée.

LE SURACHAT

On admet souvent que le joueur placé à la gauche de l'acheteur peut à son tour « suracheter » un pot après un éventuel achat en doublant la valeur de cet achat. Le surachat, qui s'effectue également sans voir son jeu, donne droit à parler en dernier, c'est-à-dire éventuellement à relancer.

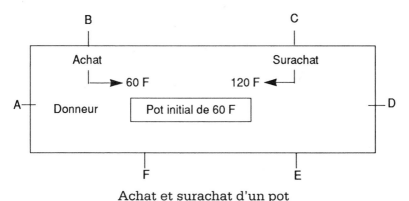

Achat et surachat d'un pot

Au diagramme ci-dessus, A est donneur et B premier à parler. Il peut regarder ses cartes et décider ou non d'ouvrir, mais peut aussi acheter le pot avant de voir ses cartes en versant une somme égale au montant de celui-ci, 60 francs en l'occurrence. Si B achète le pot, C dispose à son tour du même choix : regarder ses cartes et décider en connaissance de cause de passer, suivre ou relancer, ou bien suracheter en versant le double de l'achat, soit 120 francs, toujours à la condition de ne pas regarder ses cartes.

LE JEU AU BLIND

La partie au blind constitue l'autre grand volet du Poker fermé ; il présente de fortes similitudes avec le jeu en pot continu mais s'en écarte sur un point essentiel : seul un joueur est forcé de miser sur chaque coup avant de voir son jeu, alors que dans la partie à pot continu tous les joueurs doivent participer à chaque coup à la constitution du pot.

LE BLIND

Dans la partie au blind, un seul joueur est tenu de déposer une mise sur la table avant la première distribution de cartes : le joueur placé à la gauche immédiate du donneur. Ce joueur est appelé le blindeur. Sur chaque coup, le blindeur est tenu d'alimenter le tapis d'une contribution modeste sans voir son jeu : blind veut en effet dire « aveugle » en anglais. On décide normalement en début de partie du montant du blind, qui peut soit être déterminé de façon stricte, par exemple 5 francs, soit être fixé dans une fourchette établie à l'avance, par exemple entre 2 et 10 francs. Une fois le blind effectué, le donneur opère normalement la première distribution de cartes et la partie se poursuit de façon identique à la partie à pot continu. Les joueurs qui suivent le blindeur ont en particulier le choix entre passer, ce qui les élimine du coup puisqu'une mise a par hypothèse déjà été effectuée par le blindeur, égaliser ou relancer.

PRIVILÈGES DU BLINDEUR

Le blindeur, tout comme l'acheteur d'un pot, est dernier à parler sur le coup ; cela lui donne le droit de relancer si d'autres joueurs ont suivi son blind et que sa main s'y prête. Trois cas peuvent se produire après un blind, selon les réactions des autres joueurs :

• si d'autres joueurs ont suivi le blind, le blindeur peut, selon la force de sa main, attendre la seconde distribution de cartes ou bien relancer, ce qui ouvre un deuxième tour d'enchères ;

• si un joueur l'a relancé, le blindeur dispose des choix habituels : passer en abandonnant sa mise, égaliser la somme misée par le relanceur en complétant son blind à hauteur de cette somme, ou bien sur-relancer lui-même ;

• si personne n'a suivi le blindeur, on fait normalement un pot : chaque joueur met au centre du tapis une somme égale au blind, et le coup se joue en pot selon les règles de la partie à pot continu. Le donneur peut, s'il le veut, fixer une ouverture minimale pour l'ouverture, par exemple une paire de Dames.

LE SURBLIND

L'intérêt de pouvoir parler en dernier — et donc de pouvoir relancer avec une belle main — est si fort que certains joueurs n'hésitent pas à surblinder en misant une somme double de celle du blindeur, ce qui leur confère les mêmes droits que ce dernier. Le surblind est réservé au joueur placé à la gauche du blindeur. Il doit être effectué sans voir son jeu. Son auteur est dernier à parler sur le coup, ce qui l'autorise à relancer si d'autres joueurs ont suivi le surblind et que sa main s'y prête. Si personne ne suit le surblind, le surblindeur peut soit ramasser sa mise et le blind, soit décider d'inviter les autres joueurs à un pot en leur demandant de compléter la somme au tapis du montant du surblind.

L'OVERBLIND

Dans certaines parties, on décide parfois que les possibilités d'enchérir sans voir ne sont pas limitées au surblind, mais vont jusqu'à l'overblind. Le joueur placé à la gauche immédiate du surblindeur est alors autorisé à overblinder en misant une somme double de surblind, à condition de ne pas avoir vu son jeu. L'overblind, tout comme le blind et le surblind, donne droit à parler en dernier, et donc éventuellement à relancer les autres joueurs.

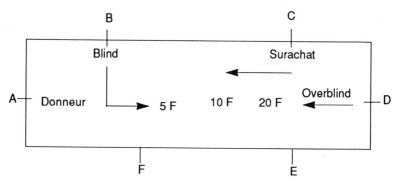

Le blind, le surblind, et l'overblind

Au diagramme ci-dessus, A est donneur et B est obligé de blinder. Le montant de son blind est soit obligatoire, soit fixé entre certaines limites précises. Supposons qu'il blinde à 5 francs. C peut alors surblinder s'il le désire, mais n'y est pas tenu. Au cas où il surblinderait, son surblind serait obligatoirement du double du blind, soit 10 francs. Même chose pour

D qui peut overblinder si C a surblindé : notons qu'il ne peut y avoir d'overblind que s'il y a eu surblind. Si personne ne suit l'overblind, l'overblindeur peut soit ramasser sa mise, le blind et le surblind, soit décider d'inviter les autres joueurs à un pot en leur demandant de compléter la somme au tapis du montant de l'overblind.

DIFFÉRENCE ENTRE PARTIE A POT CONTINU ET PARTIE AU BLIND

La partie au blind favorise plus le jeu tranquille que la partie à pot continu. Elle permet en effet aux joueurs ayant une main médiocre ou mauvaise de passer, en parfait accord avec les lois du bon sens qui indiquent qu'il ne faut rentrer dans un coup que si l'on a suffisamment de chances de le gagner, sans que cela leur coûte un sou tant qu'ils ne sont pas blindeurs. Par contre, dans la partie à pot continu les joueurs sont engagés financièrement sur chaque coup : passer avec une main faible leur coûte donc de l'argent. Moins d'argent que s'ils rentraient dans le coup en suivant l'ouvreur avec une main insuffisante, bien entendu, mais de l'argent tout de même. Il est donc plus difficile de faire le dos rond dans une partie à pot continu que dans une partie au blind, car on se fait peu à peu grignoter son tapis. Les joueurs au style prudent auront par conséquent intérêt à choisir les parties au blind plutôt que les parties à pot continu.

CHAPITRE 4

LES PROBABILITÉS AU POKER FERMÉ

Avant de voir comment on joue en pratique, c'est-à-dire avec quelles mains il faut ouvrir, suivre ou relancer d'autres joueurs, il est nécessaire de connaître un minimum de probabilités : les cartes des adversaires restant cachées tout au long du jeu, le raisonnement du joueur ne peut s'appuyer que sur l'attitude des autres joueurs (un sujet difficile), sur les mises effectuées et surtout sur les probabilités. C'est bien évidemment cette dernière base qui est la plus solide, car c'est la seule qui ne dépende pas des caprices des autres joueurs.

PROBABILITÉS A LA PREMIÈRE DISTRIBUTION

Voici d'abord un tableau décrivant la fréquence de distribution des combinaisons à la première distribution de cartes. Ce tableau est calculé pour le jeu à 52 cartes. Nous donnerons plus bas les probabilités concernant les parties avec un nombre de cartes moindre.

TABLEAU 1 : FRÉQUENCE DES COMBINAISONS, 1ʳᵉ DONNE, 52 CARTES

Combinaison	Nom de la combinaison	Fréquence : 1 fois sur	en %
R♣ V♠ 7♦ 5♣ 2♥	JEU NUL	2	50
9♥ 9♦ 8♣ 7♦ 5♠	PAIRE QUELCONQUE	1,5	42
D♠ D♦ 8♣ 8♠ 7♥	DOUBLE PAIRE	20	5
A♦ A♠ A♣ 7♦ 4♣	BRELAN	50	2,2
9♦ 8♣ 7♣ 6♦ 5♣	QUINTE	250	0,4
R♦ 9♦ 7♦ 5♦ 2♦	COULEUR	500	0,2
V♣ V♠ V♦ 8♥ 8♠	FULL	700	0,15
9♥ 9♠ 9♦ 9♣ V♦	CARRÉ	4 000	0,048
9♦ 8♦ 7♦ 6♦ 5♦	QUINTE FLUSH	65 000	0,002

Le tableau 1 permet avant tout de constater que les forts jeux servis sont exceptionnels : 0,4 % des mains servies sont supérieures à la quinte, 2,6 % comportent au maximum un brelan ou une quinte et les 97 % restants sont formés d'une combinaison faible ou nulle, à raison de 5 % pour les jeux comportant au maximum une double paire, 42 % pour les jeux comportant au maximum une paire et 50 % pour les jeux comportant seulement une carte isolée. Pour une meilleure compréhension de toutes ces mains, il convient donc d'affiner la classification en prenant en compte la hauteur de la paire ainsi que les possibilités de tirage de quinte ou de couleur.

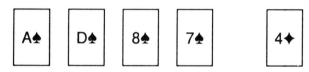

Le tirage de couleur

On appelle tirage de couleur le fait d'avoir quatre cartes de la même couleur, par exemple A♠, D♠, 8♠, 7♠ et 4♦ : après l'écart du 4♦, on monte une couleur chaque fois que l'on touche un Pique à la place du Carreau défaussé.

Le tirage de quinte bilatéral

On appelle tirage de quinte le fait d'avoir quatre cartes pouvant constituer une quinte par l'adjonction d'une cinquième carte favorable. On distingue le tirage de quinte « unilatéral » du tirage de quinte « bilatéral », encore appelé tirage de quinte « par les deux bouts ». Un tirage de quinte bilatéral consiste en quatre cartes qui se suivent, par exemple 9♣, 8♠, 7♠ 6♥. On peut alors tirer « par les deux bouts ». Il suffit de tirer soit un dix soit un cinq pour constituer la quinte : il y a donc huit cartes favorables.

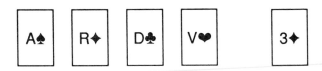

Le tirage de quinte unilatéral

Le tirage de quinte unilatéral se partage lui-même en tirage de quinte « par un seul bout » et tirage de quinte « ventral » (encore appelé tirage de quinte « par le ventre »). Un tirage de quinte par un seul bout comporte quatre cartes consécutives ne pouvant être complétées que d'un côté, par exemple A♠, R♦, D♣, V♥ : la seule carte favorable est un dix, soit 4 cartes favorables en tout, ce qui donne moitié moins de chances d'amélioration qu'avec un tirage de quinte bilatéral.

Le tirage de quinte ventral

Le tirage de quinte ventral consiste en quatre cartes non consécutives, par exemple 9♠, 8♥, 6♥ 5♦. Dans ce cas il faut impérativement tirer un sept pour monter la quinte : il y a donc 4 cartes favorables seulement, soit moitié moins que pour un tirage bilatéral de quinte.

					Nom de la combinaison	Fréquence : en pourcentage

TABLEAU 2 : FRÉQUENCE D'APPARITION DE CERTAINES COMBINAISONS A 52 CARTES

Combinaison	Nom de la combinaison	Fréquence : en pourcentage
V♠ 7♣ 6♠ 3♦ 2♣	JEU NUL sans possibilité d'amélioration	44,5 %
8♠ 7♣ 6♠ 5♦ 2♣	JEU NUL avec tirage de quinte	2,5 %
A♦ V♦ 9♦ 7♦ 3♠	JEU NUL avec tirage de couleur	3 %
8♠ 7♠ 6♠ 5♠ 2♣	JEU NUL avec tirage de quinte flush	0,02 %
V♠ V♦ 7♦ 6♣ 4♠	PAIRE DE VALETS et mieux	20 %
D♥ D♣ 9♠ 67♦ 4♣	PAIRE DE DAMES et mieux	15 %
R♦ R♣ 7♦ 6♠ 4♣	PAIRE DE ROIS et mieux	12 %
A♠ A♣ 8♥ 7♦ 4♠	PAIRE D'AS et mieux	10 %
7♠ 7♦ 6♠ 5♣ 4♦	PAIRE avec tirage de quinte	1 %
8♠ 8♦ R♦ 7♦ 4♦	PAIRE avec tirage de couleur	1,5 %
7♠ 7♦ 6♦ 5♦ 4♦	PAIRE avec tirage de de quinte flush	0,01 %

Le tableau 2 indique comment se répartissent les 92 % de mains comportant une carte isolée ou une paire. Notons qu'au lieu de donner le pourcentage correspondant à une paire précise, nous avons préféré donner le pourcentage pour cette paire et un jeu supérieur : quand on possède une paire, il est plus intéressant de savoir quelle chance on a d'être battu, que de philosopher pour savoir si l'adversaire a telle ou telle paire supérieure. Si l'on a par exemple deux Dames, peu importe de savoir si l'adversaire a deux Rois, deux As ou une quinte flush : seul compte le fait d'être battu. Le tableau 2 permet de faire trois constatations :

• d'une part, la moitié des paires servies (20 % sur 42 %) sont égales ou supérieures à la paire de Valets. En conséquence, dans une partie à 6 ou 7 participants, un joueur possède presque toujours une forte paire. Cette observation doit conduire à tempérer les tentatives de vol du pot, en dernier avec une main faible : il n'est pas impossible que le joueur possédant une paire plus forte vienne « faire la police » de temps en temps ;

• d'autre part, et cette constatation n'est pas moins importante, dans environ 8 % des cas, un joueur possède un tirage de quinte ou de couleur, c'est-à-dire une main pouvant mener après tirage favorable à une combinaison moyenne ou forte ;

• enfin, la comparaison des tableaux 1 et 2 montre que si la fréquence des tirages est proche de 8 %, comme nous venons de le voir, celle d'une double paire n'est que de 5 %. La leçon à retenir de ces chiffres est qu'un tireur d'une carte a plus de chance de posséder un tirage qu'une double paire.

Les tableaux 3 et 4 reprennent les chiffres des tableaux 1 et 2 pour un nombre de cartes allant de 48 à 32.

Ces deux tableaux permettent de confirmer un fait

TABLEAU 3 : FRÉQUENCE D'APPARITION DE CERTAINES COMBINAISONS DE 48 à 32 CARTES					
Combinaison	48 Cartes	44 Cartes	40 Cartes	36 Cartes	32 Cartes
JEU NUL	47 %	42 %	38 %	33 %	26 %
JEU NUL avec tirage de quinte	2,5 %	3 %	3,5 %	4 %	4 %
JEU NUL avec tirage de couleur	3 %	2,5 %	2,5 %	2 %	1,5 %
JEU NUL avec tirage de quinte flush	0,03 %	0,04 %	0,04 %	0,05 %	0,05 %
PAIRE inférieure aux VALETS	21 %	24 %	22 %	25 %	23 %
PAIRE de VALETS et plus	21 %	20 %	23 %	21 %	24 %
PAIRE avec tirage de quinte	1,5 %	2 %	3 %	4 %	6 %
PAIRE avec tirage de couleur	1,5 %	1,5 %	1,5 %	1,6 %	1,6 %
PAIRE avec tirage de quinte flush	0,002 %	0,003 %	0,004 %	0,006 %	0,008 %

Combinaison	48 Cartes	44 Cartes	40 Cartes	36 Cartes	32 Cartes
PAIRE	45 %	47 %	49 %	51 %	54 %
DOUBLE PAIRE	6 %	6,5 %	8 %	10 %	12 %
BRELAN	2,5 %	3 %	3,5 %	4 %	5 %
QUINTE	0,5 %	0,75 %	1 %	1,5 %	2,5 %
FULL	0,2 %	0,2 %	0,3 %	0,5 %	0,7 %
COULEUR	0,18 %	0,17 %	0,15 %	0,1 %	0,1 %
CARRÉ	0,03 %	0,04 %	0,07 %	0,09 %	1 %
QUINTE FLUSH	0,002 %	0,003 %	0,005 %	0,007 %	0,001 %

TABLEAU 4 : FRÉQUENCE D'APPARITION DES COMBINAISONS A LA 1re DONNE, 48 à 32 CARTES

connu, à savoir que plus on diminue le nombre de cartes, plus les combinaisons fortes augmentent. Quand on passe par exemple de 48 à 32 cartes, le pourcentage de jeux nuls diminue presque de moitié et passe de 47 à 26 %.

PROBABILITÉS D'AMÉLIORA-TION GRACE AU TIRAGE

PROBABILITÉ D'AMÉLIORATION GRACE A L'ÉCART NORMAL

Les tableaux 1 et 2 nous ont permis de cerner les mains les plus probables à la première distribution de

Combinaison de départ	Combinaison d'arrivée	Fréquence : 1 fois sur	en %
TABLEAU 5 : PROBABILITÉS D'AMÉLIORATION GRACE A L'ÉCART NORMAL, A 52 CARTES			
UNE PAIRE	DEUX PAIRES	6,3	16
	BRELAN	9	11
	FULL	100	1
	CARRÉ	400	0,25
DEUX PAIRES	FULL	12	8
BRELAN	FULL	15	7
	CARRÉ	25	4
TIRAGE DE QUINTE BILATÉRAL	QUINTE	6	17
TIRAGE DE QUINTE UNILATÉRAL	QUINTE	12	8
TIRAGE DE COULEUR	COULEUR	5	20
TIRAGE DE QUINTE FLUSH BILATÉRAL	QUINTE	8	12,5
	COULEUR	5	20
	QUINTE FLUSH	25	4
TIRAGE DE QUINTE FLUSH UNILATÉRAL	QUINTE	15	7
	COULEUR	50	2
	QUINTE FLUSH	50	2

cartes : les paires dans 42 % des cas, les tirages dans 8 % des cas et les doubles paires dans 5 % des cas. Mais ce qui intéresse plus encore le joueur de Poker, c'est de connaître ses probabilités d'amélioration après la deuxième distribution de cartes. En effet, dans la quasi-totalité des cas, les joueurs ne se contentent pas du jeu qui leur a été attribué à la première donne mais réclament de nouvelles cartes au donneur. Pour prendre des décisions cohérentes, il importe de savoir quelles sont les chances d'amélioration dans ce cas. Le tableau 5 donne les probabilités d'amélioration dans une partie à 52 cartes avec un écart normal, c'est-à-dire quand les joueurs se débarrassent de toutes leurs cartes inutiles. On verra en effet plus bas que cet écart logique n'est pas toujours respecté en pratique.

Le tableau 5 est très intéressant. Son enseignement est double :

• il permet, d'une part, de constater que les jeux comme la paire, les deux paires et le brelan sont très difficiles à améliorer (environ une fois sur dix). Il ne faut donc pas rentrer, dans l'espoir d'améliorer, dans un coup où les enchères laissent supposer que l'on a au départ une main inférieure ;

• on observe, d'autre part, qu'il y a deux fois plus de probabilités d'améliorer un tirage que de monter un brelan à partir d'une paire. Ces chances de monter une quinte ou une couleur sont d'ailleurs loin d'être négligeables puisqu'elles atteignent 17 % pour le tirage de quinte unilatéral et 20 % pour le tirage de couleur. Moralité : il faut se méfier comme de la peste des tireurs à une carte.

Le tableau 6 reprend pour ceux que cela intéresse les chiffres du tableau 5, pour le jeu à moins de 52 cartes.

TABLEAU 6 : PROBABILITÉS D'AMÉLIORATION GRACE A L'ÉCART NORMAL, 48/32 CARTES						
Combinaison de départ	Combinaison d'arrivée	48 Cartes	44 Cartes	40 Cartes	36 Cartes	32 Cartes
UNE PAIRE	DEUX PAIRES	17 %	19 %	21 %	23 %	25 %
	BRELAN	11,5 %	12,5 %	13,5 %	15 %	16,5 %
	FULL	1,3 %	1,4 %	1,8 %	2 %	3 %
	CARRÉ	0,3 %	0,4 %	0,4 %	0,5 %	0,7 %
DEUX PAIRES	FULL	8,5 %	10 %	11,5 %	13 %	15 %
BRELAN	FULL	7 %	7,5 %	8 %	9 %	10 %
	CARRÉ	4,5 %	5 %	5,5 %	6 %	7 %
TIRAGE DE QUINTE BILATÉRAL	QUINTE	19 %	20 %	23 %	26 %	30 %
TIRAGE DE QUINTE UNILATÉRAL	QUINTE	9 %	10 %	11 %	13 %	15 %
TIRAGE DE COULEUR	COULEUR	18,5 %	18 %	17 %	16 %	15 %
TIRAGE DE QUINTE FLUSH BILATÉRAL	QUINTE	19 %	20 %	23 %	26 %	30 %
	COULEUR	18,5 %	18 %	17 %	16 %	15 %
	QUINTE FLUSH	4,5 %	5 %	6 %	6,5 %	7,5 %
TIRAGE DE QUINTE FLUSH UNILATÉRAL	QUINTE	9 %	10 %	11 %	13 %	15 %
	COULEUR	18,5 %	18 %	17 %	16 %	15 %
	QUINTE FLUSH	2 %	2,5 %	3 %	3,5 %	4 %

PROBABILITÉS D'AMÉLIORATION
GRACE A L'ÉCART MAQUILLÉ

Les tableaux précédents présentent les probabilités relatives à un écart normal. Comme nous l'avons dit plus haut, on qualifie de normal l'écart le plus logique, à savoir l'écart de toutes les cartes ne rentrant dans aucune combinaison. Il arrive cependant que des joueurs écartent différemment en « épaulant », c'est-à-dire en conservant une carte avec la combinaison qu'ils possèdent déjà, généralement un As ou un Roi : on épaule par exemple une paire en demandant seulement deux cartes et un brelan en demandant une seule carte. Le but d'un écart maquillé est de masquer la force réelle du jeu : les adversaires ont du mal à déterminer avec certitude le type de main justifiant l'écart effectué. L'écart maquillé n'a cependant pas que du bon. Il modifie en effet les probabilités d'amélioration d'une façon qui est la plupart du temps défavorable, comme le montre le tableau 7.

TABLEAU 7 : PROBABILITÉS D'AMÉLIORATION APRÈS UN ÉCART MAQUILLÉ, A 52 CARTES			
Combinaison de départ	Combinaison d'arrivée	Fréquence : 1 fois sur	en %
PAIRE ÉPAULÉE	DEUX PAIRES	5,8	17
	BRELAN	13	8
	FULL	110	0,9
	CARRÉ	1100	0,09
BRELAN ÉPAULÉ	FULL	16	6
	CARRÉ	50	2

La comparaison de ce tableau avec le tableau 5 permet de remarquer que les probabilités d'amélioration d'une main diminuent de façon souvent notable en cas d'écart maquillé. C'est spécialement vrai en ce qui concerne le passage de la paire au brelan, qui baisse de 11 à 8 %, et le passage du brelan au carré, qui chute de 4 à 2 %. Par contre, un écart maquillé augmente les chances de transformation d'une paire en deux paires. Cette augmentation peut paraître faible, car les probabilités d'obtention d'une deuxième paire passent seulement de 16 à 17 %, mais un autre facteur favorable entre en jeu : le fait d'épauler fait nettement progresser la probabilité d'obtention d'une carte appariée avec la carte servant à épauler. Ce type d'écart est donc utile pour monter une forte double paire. Epauler avec un As fait par exemple passer les chances d'obtenir deux paires-As grâce au tirage d'environ 3 à 12 %. On peut donc tenter cet écart chaque fois que l'on pense pouvoir gagner le coup avec deux grosses paires. Le tableau 8 reprend les chiffres du tableau 7 pour le jeu à moins de 52 cartes.

TABLEAU 8 : PROBABILITÉS D'AMÉLIORATION APRÈS UN ÉCART MAQUILLÉ 48/32 CARTES						
Combinaison de départ	Combinaison d'arrivée	48 Cartes	44 Cartes	40 Cartes	36 Cartes	32 Cartes
PAIRE ÉPAULÉE	DEUX PAIRES	19 %	20 %	22 %	25 %	28 %
	BRELAN	8 %	9 %	10 %	11 %	13 %
	FULL	0,9 %	0,1 %	0,15 %	0,2 %	0,25 %
	CARRÉ	0,1 %	0,1 %	0,01 %	0,02 %	0,03
BRELAN ÉPAULÉ	FULL	6 %	8 %	8,5 %	10 %	11 %
	CARRÉ	2 %	2,5 %	3 %	3 %	4 %

Pour terminer ce chapitre en étant complet, il nous faut également donner les probabilités d'amélioration de certaines combinaisons avec lesquelles on ne serait jamais entré volontairement dans le coup, mais avec lesquelles on est parfois forcé de jouer quand même, généralement parce que l'on est de blind ou de surblind, ou parce que l'on a acheté un pot.

TABLEAU 9 : PROBABILITÉS D'AMÉLIORATION DES TIRAGES FORCÉS, DE 52 À 32 CARTES							
Combinaison de départ	Combinaison d'arrivée	52 Cartes	48 Cartes	44 Cartes	40 Cartes	36 Cartes	32 Cartes
TIRAGE DE FAUSSE QUINTE	QUINTE	4,5 %	5,5 %	6,5 %	8 %	11 %	13 %
TIRAGE DE FAUSSE COULEUR	COULEUR	7 %	5,5 %	4 %	3,5 %	3 %	3 %

Ces combinaisons sont de deux sortes, les fausses quintes à deux cartes et les fausses couleurs à deux cartes : en d'autres termes, les mains auxquelles il manque deux cartes sur cinq pour faire une quinte ou une couleur. Les probabilités d'amélioration, pour le jeu dans les parties de 52 à 32 cartes, sont reportées au tableau 9 ci-dessus.

CHAPITRE 5

LA STRATÉGIE BASÉE SUR LES ÉLÉMENTS CONCRETS

Quatre éléments sont absolument fondamentaux au Poker. Les trois premiers sont concrets : la position d'un joueur par rapport au donneur, la force de la main, le montant des enjeux au centre de la table. Le quatrième élément, le bluff, est situé à la frontière entre la technique et la psychologie. Ce chapitre est consacré aux éléments concrets ; l'aspect psychologique sera traité au chapitre suivant.

LA POSITION DES JOUEURS

IMPORTANCE DE LA POSITION PAR RAPPORT AU DONNEUR POUR OUVRIR

Il convient d'insister sur un point capital : la force nécessaire pour ouvrir est fonction de la place que l'on occupe par rapport au donneur ou au blindeur, c'est-à-dire qu'elle varie selon que l'on est parmi les premiers ou parmi les derniers à parler. Les joueurs situés à la gauche immédiate du donneur dans les parties à pot, ou bien ceux situés à la gauche immédiate du blindeur dans les parties au blind, sont en effet très défavorisés. Ils doivent parler sans disposer d'indications quant à la valeur des jeux adverses. En revanche, plus les enchères se développent autour de la table, plus les joueurs peuvent s'appuyer sur des indices précis avant de prendre leur décision. Les calculs et l'expérience ont permis de dégager les paliers de force, différents selon la position occupée à la table, à partir desquels il est possible d'enchérir dans des conditions de sécurité acceptables. Autant les premiers à parler doivent avoir une main forte pour ouvrir, car ils ne savent pas si d'autres joueurs placés après eux n'ont pas une main plus forte, autant les joueurs placés en dernier peuvent ouvrir « léger », pour les raisons suivantes : le fait que peu de joueurs puissent les relancer constitue un facteur de sécurité, et le fait que personne n'ait ouvert avant eux est normalement une preuve de faiblesse générale.

IMPORTANCE DE LA POSITION PAR RAPPORT A L'OUVREUR POUR SUIVRE

Une fois le pot ouvert, ce n'est plus la position d'un joueur par rapport au donneur qui est importante dans les parties à pot continu, mais la position par rapport à l'ouvreur. En effet, c'est lui qui parlera en premier après l'échange des cartes. Un joueur pourra parfois venir avec une main tangente s'il est parmi les derniers à parler : l'avantage de cette façon de faire est qu'il est possible de voir, par le comportement des autres joueurs, s'il existe des mains fortes à la table ou pas. Si l'on pense être toujours dans la course, on peut payer pour voir ou même relancer, mais si l'on s'estime battu, on peut jeter ses cartes sans avoir à engager d'argent supplémentaire. Les premiers joueurs à parler doivent par contre prendre leur décision avant de savoir si d'autres joueurs ont amélioré leur main, ce qui est bien entendu beaucoup plus risqué.

LES MAINS PERMETTANT D'OUVRIR OU DE SUIVRE UN COUP

Le chapitre précédent nous a permis de nous familiariser avec les probabilités d'obtention de diverses combinaisons. Nous allons maintenant examiner avec quel type de main un joueur doit suivre, ouvrir ou relancer un coup.

LA FORCE MINIMALE NÉCESSAIRE A L'OUVERTURE D'UN COUP

On considère généralement que le premier joueur misant après avoir vu son jeu doit s'engager avec une force minimale, que le coup se joue en pot continu ou

Force minimale nécessaire à l'ouverture d'un coup	
Nombre de joueurs pouvant encore parler	Combinaison minimale pour s'engager en premier
6	A-A ou R-R-x-x
5	A-A ou D-D-x-x
4	R-R ou V-V-x-x
3	D-D ou x-x-y-y
2	V-V ou x-x-y-y
1	V-V
0 (Donneur)	10-10

en blind. S'il s'agit d'une partie normale à pot continu, ce seuil de force s'applique pour ouvrir, tandis que s'il s'agit d'une partie au blind ou d'un achat de pot, ce seuil s'applique pour suivre. Il diffère selon le nombre de joueurs n'ayant pas encore parlé. Plus nombreux seront les joueurs n'ayant pas encore parlé, plus l'ouverture devra être forte, le risque que l'ouvreur subisse une relance étant d'autant plus élevé.

Pour décider s'il est possible ou non d'entrer dans un coup, on utilise normalement la grille ci-dessus, qui se lit de la façon suivante : premier à parler, il ne faut pas engager d'argent sur un coup avec moins d'une paire d'As ou de deux paires aux Rois ; deuxième à parler, avec moins d'une paire d'As ou de deux paires aux Dames, etc. La force requise diminue avec le nombre de joueurs pouvant encore parler, pour arriver pour le dernier à parler au niveau de la paire de Valets ou de la paire de dix. Notons que ce tableau a été construit pour une partie à 7 joueurs, mais que dans une partie à 5 joueurs, le premier à parler n'a besoin que de deux Rois, puisque 4 joueurs seulement peuvent parler après lui.

LE VOL DU POT

Le dernier joueur à parler est le plus favorisé de tous, car il sait qu'aucun joueur n'a de main forte : le fait que personne n'ait ouvert constitue en effet un aveu général de faiblesse. Dans cette position, on est parfois tenté d'ouvrir avec pratiquement n'importe quelle main pour essayer de ramasser le pot, tentative que l'on désigne habituellement du terme évocateur de « voler le pot ». C'est d'ailleurs pour cette raison qu'à certaines tables on exige pour ouvrir une ouverture minimale, dont la hauteur est habituellement fixée à deux Valets (voir la partie à pot continu avec ouverture obligée). Indiquons que le vol du pot n'est pas forcément de tout repos : on vient en effet de voir que d'autres joueurs pouvaient posséder des paires assez fortes et s'abstenir d'ouvrir parce qu'ils étaient premiers à parler. Le voleur de pot court donc le risque de voir un de ces joueurs participer au coup pour « faire la police », selon le terme employé habituellement dans l'argot du jeu.

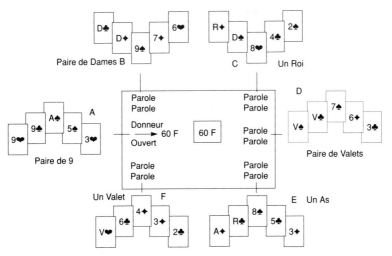

Paire de Dames B

C   Un Roi

Paire de 9

A

Parole
Parole

Donneur
→ 60 F
Ouvert

60 F

Parole
Parole

Parole
Parole

D

Paire de Valets

Parole
Parole

Parole
Parole

Un Valet   F

E   Un As

Ouverture sur un pot

Le diagramme ci-dessus représente un coup joué en pot. B, premier à parler, passe car sa paire de Dames ne constitue pas une ouverture suffisante dans cette position. C passe parce qu'il n'a rien et D passe également parce que sa main est elle aussi insuffisante dans la position qu'il occupe, c'est-à-dire avec encore trois joueurs à parler. E et F passent parce qu'ils n'ont rien, et A ouvre pour voler le pot. B et D ont maintenant une décision difficile à prendre. B peut décider de passer pour les raisons suivantes : sa main n'est pas très forte, et il lui est encore possible de se faire relancer par un joueur « embusqué » avec un fort jeu. D passera sans doute aussi, non plus parce qu'il craint une relance mais parce que sa main est faible et que rien ne prouve que A cherche à voler le pot avec peu de jeu. Pour suivre à ce stade, il lui faudrait pouvoir payer une relance après l'échange des cartes, ce qui est impossible avec une paire de Valets. E et F passent sans discussion possible. A a donc de bonnes chances de remporter le pot sur ce coup, bien qu'au départ il n'ait que la troisième plus forte main seulement.

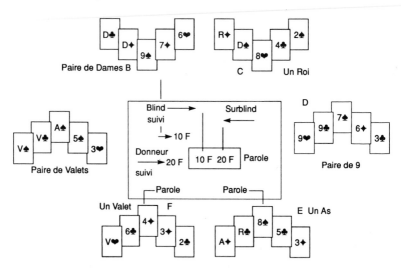

Suivre un surblind

En cas de blind et de surblind, la stratégie du dernier joueur à miser n'est pas la même que celle qui vient d'être décrite pour une ouverture en dernier sur un pot, pour la bonne raison que le surblindeur jouera le coup quoi qu'il arrive et que le blindeur aura tendance à venir lui aussi dès que sa main ne sera pas trop faible. Reprenons l'exemple précédent, et renforçons même la main de A. Donnons-lui une paire de Valets à la place de sa paire de 9. S'il suit le surblind, non seulement il se heurtera à C qui est dans le coup quoi qu'il arrive — puisqu'il est le surblind et qu'il a déjà payé —, mais également à B, qui, avec sa paire de Dames, n'aura aucune hésitation à compléter son blind pour participer au coup. On voit que, contrairement au coup précédent, A n'a aucune chance de remporter le coup sans jouer. Il doit donc prendre sa décision sur la seule base de la force de sa main, d'autant que rien n'interdit à B ou C de relancer.

FORCE MINIMALE NÉCESSAIRE POUR SUIVRE UNE OUVERTURE

Les critères à appliquer pour suivre un coup déjà ouvert sont approximativement les mêmes que pour ouvrir : comme on connaît la force minimale de l'ouvreur selon sa position, il vaut mieux ne pas s'engager volontairement sur le coup si l'on possède une main plus faible. Les probabilités sont en effet pour que la meilleure main au départ du coup reste la meilleure main après l'écart des cartes, sans compter que dans la plupart des cas l'ouvreur aura une main supérieure au strict minimum requis pour l'ouverture. Contre un ouvreur situé en première ou deuxième position, il ne faut donc pas venir avec moins de deux As. En revanche, si l'ouvreur est dans les derniers à parler, on peut venir avec deux Dames seulement et même relancer avec une paire d'As ou deux paires.

MAINS PERMETTANT DE RELANCER SUR UN COUP

Une fois qu'un coup est ouvert, et avant même que la seconde distribution ait lieu, les joueurs jouissent de la faculté de relancer l'ouvreur. Voyons maintenant avec quel type de main une relance est possible.

LA RELANCE AVANT ÉCART

Le principe gouvernant la relance avant écart est simple : le joueur qui pense avoir la meilleure main doit normalement relancer pour maximiser son gain à long terme, car les probabilités de rester le meilleur après l'écart sont assez largement en sa faveur. En ce qui concerne l'opportunité et le montant de cette relance, il faut toutefois distinguer deux cas, selon que le joueur possède une main fragile ou solide (facile ou difficile à battre).

Relance avant écart
avec une main difficile à battre

Avec une main relativement puissante, par exemple un fort brelan ou une quinte, un joueur doit chercher à rentabiliser son jeu au maximum. Pour cela, il doit faire une relance telle qu'il incite le plus de monde possible à venir tout en éloignant autant que faire se peut les joueurs pouvant le battre, c'est-à-dire ceux qui possèdent un tirage de quinte ou de couleur. Sa relance ne sera donc pas trop élevée pour attirer les possesseurs de paires ou de doubles paires, mais suffisante pour rendre le coup peu attirant pour les possesseurs de tirage de quinte ou de couleur, qui, s'ils viennent, ont de bonnes chances d'améliorer leur main, et partant, de gagner le coup. Il existe également une possibilité réservée aux joueurs premiers à parler ou situés juste après l'ouvreur, qui est de s'embusquer. S'embusquer consiste à passer, ou à se contenter de suivre simplement pour faire croire à un jeu minimal, puis à relancer ensuite à la première occasion. Le joueur qui s'embusque court bien entendu le risque de voir sa main « enterrée » si personne n'ouvre après lui, mais le jeu en vaut souvent la chandelle. Cette technique présente de plus l'avantage d'apporter un peu de variété à son jeu en le rendant imprévisible, ce qui est utile pour éviter d'être trop facilement percé à jour par les autres joueurs.

Relance avant écart avec une main facile à battre

Le problème de la relance est plus délicat à traiter avec une main qui a de bonnes chances d'être la meilleure avant l'écart mais reste fragile, c'est-à-dire difficile à améliorer et relativement facile à battre. Prenons l'exemple de deux petites paires : que faire dans ce cas ? Le possesseur d'une main de ce type doit tout naturellement relancer, puisqu'il possède la plus forte main à ce stade du coup, mais il ne désire pas voir trop de joueurs le suivre car, dans ce cas, il risque de ne plus avoir la plus forte main à la fin du coup. Il doit donc chercher à écarter les autres participants, par une relance suffisamment forte pour inciter à la fuite. Par conséquent, cette relance purement technique a pour but soit de ramasser le coup si personne ne vient, soit de n'être opposé dans la phase finale qu'au minimum possible de joueurs. En effet, les probabilités de battre peu de joueurs avec deux paires sont bonnes, mais celles de gagner avec de nombreux participants sont faibles, l'un d'entre eux au moins ayant de sérieuses chances d'améliorer son jeu. La relance doit être judicieusement adaptée à la hauteur des tapis adverses et aux réactions des autres joueurs : suffisamment élevée pour faire fuir les détenteurs de petits jeux, paire, double paire, voire petits brelans, mais pas trop pour éviter une perte démesurée au cas où un joueur tiendrait la somme misée. Indiquons que le possesseur des deux paires ne doit pas s'accrocher s'il est sur-relancé après sa propre relance, ses probabilités d'amélioration en full étant trop faibles : au Poker, il est important de savoir quand renoncer. Notons également qu'il est relativement facile d'écarter les autres participants quand on est placé à la gauche de l'ouvreur, car les joueurs n'ont pas encore misé d'argent et n'ont rien à défendre, mais plus risqué de jouer pour faire fuir si plusieurs joueurs sont déjà venus dans le coup.

FORCE MINIMALE NÉCESSAIRE POUR RELANCER AVANT L'ÉCART

Reprenons le tableau établi plus haut concernant les combinaisons minimales exigées pour ouvrir ou s'engager en premier sur un coup, et complétons-le par les combinaisons minimales nécessaires pour relancer ou sur-relancer avant l'écart. Nous obtenons la grille ci-dessous :

Minimum pour ouvrir, relancer ou sur-relancer avant l'écart			
Nombre de joueurs pouvant encore parler	Minimum pour s'engager en 1er	Minimum pour relancer	Minimum pour sur-relancer
6	A-A ou R-R-x-x	Brelan	
5	A-A ou D-D-x-x	Brelan	
4	R-R ou V-V-x-x	A-A-x-x	BRELAN
3	D-D ou x-x-y-y	R-R-x-x	OU
2	V-V ou x-x-y-y	D-D-x-x	PLUS
1	V-V	V-V-x-x	
0 (Donneur)	10-10	x-x-y-y	

Prenons maintenant un exemple, pour voir comment se déroule en pratique une séquence d'enchères typique. A est donneur dans la main représentée au diagramme ci-dessous, qui se joue en pot, comme les 60 francs situés au centre du tapis permettent de le constater.

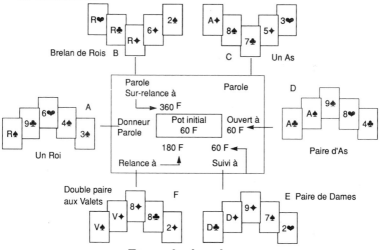

Exemple de relance

B, qui est premier à parler, doit opérer un choix douloureux : ouvrir, ou bien passer ? Passer fait courir le risque de perdre le bénéfice du brelan servi mais donne l'opportunité d'attirer des clients. Alors qu'ouvrir en première position constitue une démonstration de force dont le résultat le plus probable sera d'effrayer les autres participants. B a sans doute intérêt à s'embusquer en passant. C n'a pas l'ombre d'une ouverture et passe également. D possède pour sa part une ouverture qui est évidente, surtout quand on joue à 52 cartes : non seulement il possède une paire d'As mais, de plus, seuls trois joueurs n'ont pas encore parlé et sont donc potentiellement dangereux. D ouvre donc à la hauteur du pot avec sa paire d'As, c'est-à-dire à 60 francs. E suit, décision qui est tangente mais qui se base sur le fait que l'ouverture de D en troisième pourrait être plus faible qu'elle n'est réellement. Maintenant F doit sortir le grand jeu : il est tout d'abord évident qu'il doit participer au coup, puisqu'il possède en principe une main gagnante sur D et sur E. Mais il est également clair que s'il laisse venir plusieurs joueurs, il a de bonnes chances de se faire battre à la sortie. Il doit donc frapper fort pour écarter les joueurs n'ayant pas encore une belle main. Pour cela, il relance en misant 180 francs. A passe en courant et B se frotte les mains : le scénario qu'il n'osait espérer s'est réalisé. Trois poissons ont déjà mordu à l'appât. Il lui reste à les ferrer. Une relance à 360 francs lui permettra soit de ramasser le tapis, soit d'entraîner les autres joueurs dans une course à l'amélioration où il part grandissime favori. D, E et F doivent passer.

LE CAS PARTICULIER DES TIRAGES

Il est encore un cas où la relance est envisageable, à savoir lorsqu'on possède un tirage de quinte ou, mieux encore, un tirage de couleur. Nous verrons toutefois, quand nous parlerons du montant des enjeux, que pour participer au coup avec un tirage, il est d'abord nécessaire que plusieurs joueurs soient déjà engagés pour que les sommes misées au tapis soient en rapport avec les chances d'amélioration de la main. Cette relance présente plusieurs avantages. Son résultat est favorable quel que soit le nombre de joueurs décidant de suivre : si personne ne suit, le relanceur ramasse le pot avec une main qui est sans doute l'une des plus faibles de la table ; si des joueurs suivent, le relanceur a des « clients » sous la main au cas où il toucherait la combinaison qu'il recherche. Ce type de relance présente en outre l'intérêt d'éviter les états d'âme après le tirage, qui peuvent souvent être gênants avec deux paires : si on touche la quinte ou la couleur, on relance, tandis qu'on renonce au coup si l'on n'a pas touché (sous une réserve cependant : on verra au chapitre 6, lorsque l'on parlera du bluff, que ce type de main peut être joué de façon identique, que l'on ait touché ou non la carte recherchée).

Un cas délicat se présente toutefois lorsqu'un joueur possède à la fois une forte paire et un tirage de quinte ou de couleur. La logique veut qu'il conserve le tirage et aille à la recherche de la quinte ou de la couleur s'il doit affronter plusieurs adversaires, mais qu'il conserve plutôt la paire s'il n'en a qu'un : il a en effet des chances de battre celui-ci même s'il n'améliore pas sur sa paire.

LA RELANCE APRÈS ÉCART

Une fois le premier tour d'enchères achevé, les joueurs encore en lice bénéficient d'une seconde distribution de cartes suivie d'un second tour d'enchères. Cette deuxième phase d'enchères est régie par des principes identiques à ceux que nous venons d'étudier. La seule différence réside dans le fait que les joueurs possèdent maintenant une information supplémentaire, le nombre de cartes échangées par les adversaires. Celui-ci donne de bonnes indications sur la nature des jeux adverses, les réactions ne seront donc pas les mêmes selon le nombre de cartes écartées par ses adversaires. On distinguera selon que l'on se heurte à un adversaire demandant 5 ou 4 cartes, 3 cartes, 2 cartes, 1 carte ou bien se déclarant servi.

Face à tireur à quatre ou cinq cartes

Dans l'immense majorité des cas, le joueur qui tire quatre ou cinq cartes finit avec un jeu faible. Pour savoir quelles probabilités il a d'obtenir une combinaison quelconque, il suffit de se reporter au tableau 1 du chapitre 4, consacré aux diverses combinaisons pouvant apparaître à la première distribution. On fera bien cependant de se méfier en pratique, les probabilités étant souvent faussées par le fait que les joueurs ne « cassent » pas leurs cartes lorsqu'ils les jettent et que le jeu est habituellement mal battu, ce qui fait qu'il est fréquent de recevoir des cartes de même valeur après l'écart.

Face à un tireur à trois cartes

Le joueur qui demande trois cartes clame à qui veut l'entendre que son jeu n'est pas supérieur à une paire. Le comportement face à ce joueur dépend bien évidemment du jeu qu'on possède, mais il faut garder présent à l'esprit qu'il n'a que très peu de chances d'améliorer sa main : 16 % pour obtenir deux paires, 11 % pour monter le brelan, 1 % pour le full et 0,25 % pour le carré. Si on a au départ une main supérieure, on a donc de très grandes chances de terminer avec un meilleur jeu. La façon de jouer le coup et les relances devront donc en tenir compte.

Face à un tireur à deux cartes

La stratégie à adopter face à un tireur à deux cartes ne peut être définie clairement, du fait qu'il est difficile de cerner la force exacte du jeu adverse. Normalement, le tireur à deux cartes est soit un joueur épaulant une paire, soit un joueur possédant un brelan. On peut le plus souvent différencier ces deux mains par le comportement de leur possesseur au premier tour d'enchères. Sinon, il convient de se méfier avec un jeu moyen mais de relancer sans vergogne avec un jeu supérieur au brelan : quinte ou plus. Il est en effet tout à fait improbable que l'adversaire améliore au-delà du brelan, même s'il possède ce brelan d'entrée.

Face à un tireur à une carte

On arrive maintenant aux mains les plus difficiles à traiter, à cause de la diversité des cas qu'elles recouvrent. En effet, le tireur à une carte peut posséder l'une quelconque des mains suivantes : une double paire, un tirage de quinte, un tirage de couleur, un tirage de quinte flush ou bien encore un brelan épaulé. Dans tous les cas, il a de bonnes chances d'obtenir une main forte ou très forte s'il touche la carte qu'il recherche. Il faut donc se méfier, d'autant qu'on a vu plus haut que les chances d'amélioration d'un tireur à une carte étaient très loin d'être négligeables : 20 % pour la couleur par exemple. La politique à suivre est la suivante : payer de façon aléatoire les relances pour démasquer les bluffs que ne manquent pas de susciter les mains comportant un tirage, mais ne pas relancer soi-même sans une main particulièrement forte, les risques étant trop élevés. Notons que l'on peut parfois se décider pour une relance préventive, afin d'éviter un bluff ou lorsqu'on soupçonne le tireur à une carte de ne posséder qu'une double paire.

Face à un joueur servi

Face à un joueur qui s'est déclaré servi, il est presque toujours mauvais de relancer, sauf si l'on possède une main d'une force exceptionnelle. On a plutôt avantage à laisser parler ce joueur en transférant, selon la formule consacrée dans ce cas, la « parole au servi ». Si l'on a soi-même amélioré sa main, on peut miser un chip symbolique pour proposer de voir sans relance.

Voici un exemple de coup :

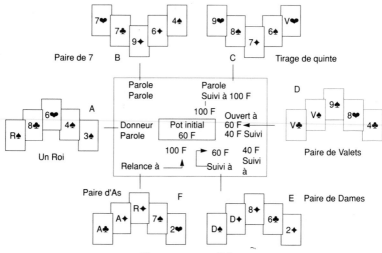

Coup avant l'écart

A est donneur sur le pot représenté au diagramme ci-dessus : B, qui n'a qu'une modeste paire de 7, passe sans regrets, comme C dont le tirage de quinte ne constitue pas une raison pour ouvrir. D ouvre maintenant, ce qui n'est pas bien joué avec seulement deux Valets. Il mise 60 francs. E suit assez normalement avec ses deux Dames et F, qui se doute qu'il possède le plus fort jeu vu le manque de nervosité à la table, relance à 100 francs. A et B se couchent et C suit la relance, ce qui est très mal joué. Nous verrons plus tard qu'il n'y a pas suffisamment d'argent au tapis pour justifier sa venue. D et E, qui sont déjà engagés pour 60 francs, complètement leur mise initiale en rajoutant 40 francs. Cette décision est critiquable, compte tenu de la faiblesse de leur jeu : il faut apprendre à passer sur une relance, surtout avec une paire de

Valets ou une paire de Dames. Les joueurs écartent à présent leurs cartes. D, qui est ouvreur, échange en premier. Il demande 3 cartes et touche une paire de deux. Il possède maintenant deux paires.

Main de D avant écart   Main de D après écart

C'est maintenant au tour de E d'échanger. Il réclame également 3 cartes et n'améliore pas sa paire de Dames.

Main de E avant écart   Main de E après écart

F doit à présent écarter. Il sait maintenant qu'il a la plus forte main puisque D et E ont chacun demandé trois cartes, et il ne craint pas C qui ne peut avoir de main forte puisqu'il n'a ni ouvert ni relancé quand il en a eu l'occasion, et qui n'a que peu de chances d'améliorer son tirage. F prend la décision de conserver son Roi pour épauler ses As. Par cette manœuvre il laisse planer un doute sur la force réelle de sa main pour le cas où il n'améliorerait pas, augmente légèrement ses chances d'obtenir deux paires et couvre également le cas où un autre joueur possède aussi deux As : conserver le Roi lui donnera alors de bonnes chances de gain. Il demande donc deux cartes et touche un second Roi : il a maintenant deux paires aux As.

Main de F avant écart   Main de F après écart

C demande quant à lui une carte seulement, annonçant à tout le monde qu'il possède un tirage de quinte ou de couleur. Il écarte le V♥ mais touche le 9♣ : il a maintenant une paire de neuf.

Main de C avant écart   Main de C après écart

La situation après la seconde distribution de cartes est représentée au diagramme ci-dessous :

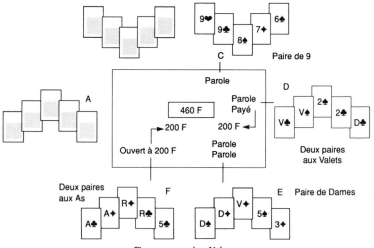

Coup après l'écart

D qui est premier à parler passe, suivi en cela par E. Tous deux désirent transférer la parole au relanceur. F ne se laisse pas impressionner par le tirage de C, car il sait que ce joueur a relativement peu de chances d'améliorer. Il mise 200 francs. C passe mais D, content d'avoir amélioré son jeu en deux paires, paye pour voir. E passe et F montre son jeu : il gagne avec ses deux paires-As et empoche tous les enjeux. Au

Poker à 52 cartes, la majorité des coups ressemblent à celui-là : rien de très spectaculaire, mais les petites fautes et le défaut de technique se payent néanmoins très cher.

LE MONTANT DES ENJEUX AU CENTRE DE LA TABLE

Du montant des enjeux situés au centre de la table dépend parfois la décision d'un joueur de participer ou non à un coup. La règle d'or pour rentrer dans un coup consiste à ne s'engager que si ce montant est en proportion avec les chances d'amélioration de la main.

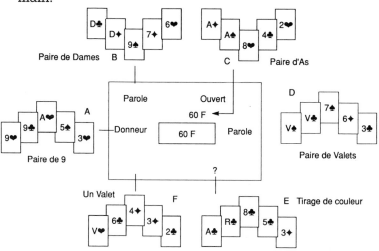

Les enchères par rapport au tapis

Prenons comme exemple la main représentée ci-dessus. B passe et C, qui a une paire d'As, ouvre avec 60 francs. D passe avec sa paire de Valets et E doit enchérir. Que doit-il faire ? La réponse est simple : il doit passer. Le raisonnement qu'il doit tenir est le suivant : en admettant que la couleur suffise pour gagner, ses chances de remporter le coup sont de 20 % seulement. Mais pour équilibrer cette chance sur cinq il lui faut également un taux de rentabilité de 5 contre 1 pour son argent, afin que la fois où il gagne compense les quatre fois où il perd. Il n'a donc pas intérêt à mettre 60 francs pour essayer de gagner les 120 francs du tapis, et passe.

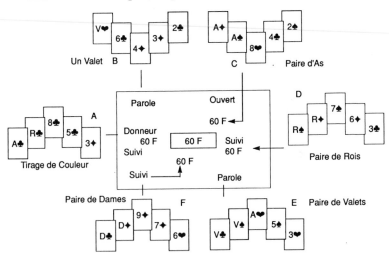

Les enchères par rapport au tapis

Supposons maintenant que la donne soit modifiée de façon à correspondre au diagramme ci-dessus. C ouvre toujours en permier avec ses deux As, suivi par D qui possède une paire de Roi et par F qui détient deux Dames. Comme il y a maintenant 240 francs au tapis, A a un seuil de rentabilité suffisant par rapport à sa main et peut entrer dans le coup. Avec la même main, on voit donc qu'il est parfois bien joué de faire deux enchères tout à fait opposées, soit en fonction de la place qu'on occupe par rapport aux autres joueurs, soit en fonction du nombre de joueurs participant au coup. Notons qu'il faut s'efforcer de respecter les probabilités dans les limites du bon sens, c'est-à-dire qu'en pratique on n'est tenu d'effectuer les calculs qu'à environ 5 ou 10 % près.

PRINCIPES APPLICABLES POUR GAGNER DE FAÇON SURE

La lecture attentive de ce chapitre montre que pour être un gagnant structurel, il suffit d'appliquer pratiquement à la lettre les deux principes suivants :
• ne jamais s'engager sur un coup avec une main faible ;
• ne jamais s'engager sur un coup où l'argent à gagner n'est pas en rapport avec les chances de gain.

CHAPITRE 6

LE BLUFF

Ce chapitre traite du bluff, qui représente la principale arme psychologique dont dispose le joueur de Poker. Bluffer, c'est tenter de faire croire qu'on détient une main différente du jeu possédé en réalité. Le bluff, qui n'est bien entendu possible que parce que l'on joue avec des cartes cachées, consiste normalement à essayer de faire passer une main faible pour une main forte. Cependant, il arrive également qu'on essaie de masquer la puissance d'une main forte en la faisant passer pour une main faible.

POURQUOI BLUFFER ?

Le bluff n'est pas seulement une fantaisie que se permet un joueur à un moment donné pour tenter de remporter un coup avec une main faible : il remplit une fonction précise qui est de contribuer à la maximisation des gains à long terme. Si le profit est évident quand le bluff réussit (puisque ce dernier permet de l'emporter avec un jeu qui n'aurait jamais dû gagner), son bénéfice semble moins clair quand il rate puisque le joueur qui le tente perd les sommes qu'il a engagées. Pourtant, le bluff entraîne même dans ce cas des effets favorables, qui ne sont cependant perceptibles qu'à long terme : il permet au bluffeur malheureux d'éviter qu'à l'avenir ses adversaires lisent dans son jeu comme à cartes ouvertes, et incite ces derniers à venir dorénavant dans tous les coups où il joue, en particulier dans ceux où sa main sera forte et non plus faible. Ce rôle de désinformation est essentiel, car si un joueur ne misait qu'avec des mains fortes, il finirait rapidement par n'être suivi qu'avec grande réticence par les autres joueurs. Sur la plupart des coups, il ne ramasserait en pratique pas grand-chose. C'est pour cette raison qu'il convient de donner une certaine variété à son jeu et de savoir investir pour préparer la rentabilité maximale de ses cartes lorsqu'on a une main forte.

LE BLUFF PUBLICITAIRE

Certains joueurs poussent le raisonnement qui vient d'être exposé à ses limites les plus extrêmes et s'arrangent parfois pour mal jouer et perdre plus ou moins volontairement quelques coups peu chers en début de partie, afin de persuader leurs adversaires qu'ils jouent mal et bluffent souvent. Que l'on adopte cette tactique dite du « bluff publicitaire », ou que l'on choisisse de jouer de façon plus orthodoxe, il faut se persuader de deux choses : tout d'abord, que le manque à gagner quand les adversaires refusent de venir sur un coup où l'on a un jeu gagnant représente un argent au moins aussi valable que celui perdu sur un bluff raté ; d'autre part — c'est le corollaire de la remarque précédente —, que l'argent investi dans certains bluffs manqués est largement compensé par l'agent gagné quand des joueurs viennent lorsqu'on a une main gagnante.

COMMENT BLUFFER ?

Pour qu'un bluff ne soit pas découvert, il faut le mener avec art en respectant dans toutes les phases la logique du jeu : un bon buff ne s'improvise donc pas mais se construit avec soin de la première distribution de cartes jusqu'à la relance finale. Reprenons ces points dans l'ordre :

• un bon bluff se construit dès la première distribution de cartes ; pour être crédible, un bluff ne doit pas être improvisé après l'écart. Dans ce cas, il paraît en effet le plus souvent peu naturel aux autres joueurs, et donc douteux. Les joueurs faibles usent et abusent du bluff consistant à se comporter après un tirage raté comme si ce tirage avait été couronné de succès, ou du bluff consistant à relancer dès la première distribution avec un tirage de quinte ou de couleur. Ces types de bluff sont généralement assez faciles à démasquer, surtout le premier nommé. Il faut donc en limiter l'emploi, mais si l'on choisit de les tenter malgré tout, il faut se comporter comme si l'on possédait la main souhaitée et ne pas hésiter à faire les enchères correspondant à la force de cette main. Il est impératif que les relances soient absolument normales quant à leur montant et aussi qu'elles soient effectuées à un rythme naturel. Notons qu'il n'est pas forcément besoin de montrer une main très forte, en jouant par exemple servi : la menace d'un brelan suffit déjà pour faire fuir la plupart des adversaires.

Indiquons également que l'aspect psychologique du bluff est très important : pour avoir une chance d'abuser les autres joueurs, il faut impérativement se pénétrer soi-même de l'idée qu'on possède la main souhaitée. Les joueurs se fient souvent à des « impressions de table » subtiles, et l'expérience prouve qu'un joueur n'a de chances de mystifier ses adversaires que lorsqu'ils le sentent persuadé de posséder le jeu qu'il prétend avoir. Il faut donc qu'il effectue la relance qu'il ferait réellement s'il possédait le jeu qu'il prétend avoir : forte s'il prétend avoir une main forte, faible ou nulle s'il désire masquer la force de sa main. Parfois même il faut se montrer encore plus fin, et par exemple se contenter de passer ou de suivre quand on est dans les premiers à parler pour ne relancer qu'ensuite, comme si on s'embusquait : sur une relance immédiate, les adversaires se demanderaient en effet ce qui se passe. Ils s'interrogeraient sur la main que l'on peut avoir pour relancer ainsi et se demanderaient ce qu'ils feraient eux-mêmes avec un fort jeu. Comme vraisemblablement ils s'embusqueraient, ils se demanderaient pourquoi on ne fait pas de même et à ce stade de raisonnement seraient bien près de démasquer le bluff ;

• l'écart doit être ensuite en rapport avec la main que l'on est supposé avoir. Les possibilités sont très diverses. Si l'on prétend par exemple masquer la force réelle de sa main, il faut faire un écart tel que les autres joueurs croient à une main faible. Avec un brelan servi, écarter deux cartes pour faire croire à une paire épaulée, avec un carré servi, éviter de relancer et écarter une carte pour faire croire à un tirage, et attendre qu'un autre joueur relance pour donner le véritable poids de sa main. Si on n'espère pas gagner le coup normalement, on peut même jouer servi avec une main faible ou nulle. On peut également jouer servi avec une simple paire face à un demandeur d'une carte dont on soupçonne qu'il a un tirage, en contre-bluff préventif ;

• les enchères finales doivent toujours correspondre à la main supposée. Là encore, on doit se persuader de posséder la main que l'on prétend avoir et relancer comme on le ferait en réalité : une relance forte si l'on prétend avoir une main forte, ou une mise inférieure à la valeur réelle du jeu si l'on prétend avoir une main faible. Par exemple, un « passe » ou un « chip » empoisonné en espérant une relance adverse.

QUI BLUFFER ?

Un joueur fort est plus facile à bluffer qu'un joueur faible : il croira plus volontiers à un bluff bien mené ne viendra pas faire la police à tort et à travers. Il faut cependant se méfier des bons joueurs, parce que lorsqu'ils participent à un coup, c'est normalement parce qu'ils ont une belle main. L'expérience prouve également qu'un gros perdant est plus facile à bluffer qu'un gros gagnant, sauf peut-être en fin de session quand le gagnant désire s'accrocher à ses gains.

QUAND BLUFFER ?

Il existe des éléments qui favorisent l'établissement d'un bluff, d'autres qui le défavorisent. Avant de voir lesquels, commençons par dire qu'il ne faut pas bluffer trop souvent. Le bluff doit être l'exception, car la qualité première d'un bon joueur de Poker est la patience : savoir attendre la nuit entière s'il le faut avec des mains faibles. La chance finit toujours par tourner.

LES CIRCONSTANCES DÉFAVORABLES AU BLUFF

Pour éviter de commettre trop d'erreurs en maniant le bluff, il suffit d'adopter le principe de base plein de bon sens selon lequel il ne faut pas prendre les adversaires pour des imbéciles. Il faut par conséquent éviter de bluffer sur les gros coups : le bluffeur ne pourra jamais persuader les autres participants qu'une belle main lui est miraculeusement rentrée juste sur un gros pot et non sur un coup anodin, surtout quand il prétend avoir une quinte ou une couleur après avoir tiré une carte. Personne ne sera dupe et quelqu'un viendra le plus souvent faire la police. Une autre erreur à ne pas commettre consiste à jouer en tête à tête avec un joueur agressif ou imprévisible. Le bluff risque soit de l'exciter, soit de lui passer au-dessus de la tête. Avec les mains que l'on joue de façon obligée, par exemple parce que l'on est de blind ou que l'on a acheté un pot, il vaut mieux éviter de jouer servi, mais par exemple opter pour un tirage forcé avec trois cartes qui se suivent ou trois cartes de la même couleur, ou bien pour un écart maquillé en conservant au moins deux cartes. Il faut s'abstenir de demander quatre ou cinq cartes si l'on prépare un bluff. Il faut également s'abstenir de bluffer si les tapis adverses sont faibles, parce que l'effet dissuasif d'une forte relance ne jouera pas : les joueurs viendront tout simplement voir à concurrence de leur tapis. Dernier conseil, il faut également éviter de bluffer trop de joueurs : l'un d'entre eux aura sans doute de quoi river son clou au bluffeur.

LES CIRCONSTANCES FAVORABLES AU BLUFF

Divers éléments peuvent favoriser la réussite d'un bluff : disons d'abord que plus le tarif est élevé, plus le bluff a de chances de réussir à cause de l'effet dissuasif des relances. Un joueur peut également essayer de profiter de la déconcentration momentanée des joueurs, par exemple quand un coup se joue juste après un gros pot ou à la suite d'une pause. Il peut également tenter de jouer sur sa forme après plusieurs coups gagnants consécutifs, les adversaires ayant tendance à respecter sa période de chance. Dans tous ces cas, l'expérience prouve que les autres participants ont tendance à ne pas insister. Dans le même état d'esprit, on peut également tenter un bluff contre un joueur perdant, timoré ou avare, à condition toutefois d'être en tête à tête avec lui. De façon générale, il faut se contenter de bluffer sur de petits coups si l'on désire avoir un pourcentage de réussite acceptable, et si possible n'affronter que des joueurs ayant selon toute apparence un jeu modeste, deux paires au maximum. Rappelons également que les bluffs tentés après un tirage de quinte ou de couleur sont la plupart du temps démasqués. Par contre, les bluffs tentés avec un servi ont de bonnes chances de l'emporter s'ils sont menés normalement, c'est-à-dire dès la première distribution de cartes. Notons que l'on peut tenter de sur-bluffer, même avec une main faible, un bluffeur qui s'est trahi par un comportement illogique : les probabilités sont massivement en faveur de son abandon.

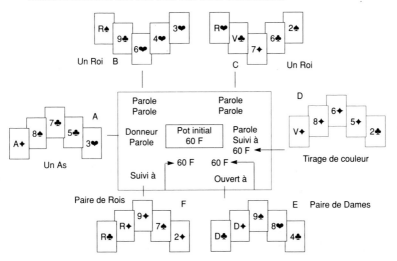

Exemple de bluff : mains avant l'écart

Prenons comme exemple la main ci-dessus. B, C et D passent et E décide d'ouvrir, bien que deux Dames ne représentent pas une main spécialement forte. F suit assez normalement, A, B, et C passent, mais D commet la faute de suivre dans l'espoir d'améliorer sa main, bien qu'il n'y ait pas assez d'argent sur la table pour justifier sa venue. Les trois joueurs écartent maintenant : D commence par demander une carte, annonçant ainsi qu'il a un tirage puisque, troisième à parler, il aurait selon toute vraisemblance ouvert le pot avec deux paires. Il touche un Cœur et ne monte pas sa couleur.

Main de D avant écart   Main de D après écart

C'est maintenant au tour de E d'échanger. A ce stade du jeu, il n'envisage pas encore un bluff de façon définitive. Il effectue donc le tirage qui lui donne les chances optimales et réclame 3 cartes, mais n'améliore pas sa paire de Dames.

Main de E avant écart   Main de E après écart

F écarte à présent et demande trois cartes. Il touche deux cinq, et possède maintenant deux paires Rois-cinq.

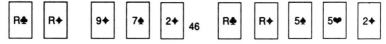

Main de F avant écart   Main de F après écart

La situation à ce stade est représentée au diagramme ci-dessous.

E, premier à parler, est dans l'embarras total. Il pourrait bien entendu passer mais décide de jouer de façon audacieuse en misant 120 francs. Le montant de cette somme n'est pas trop élevé pour ne pas sembler suspicieux, mais suffisamment fort pour décourager F, qui serait peut-être venu faire la police mais se trouve coincé entre E, qui peut avoir une belle main et C, tireur à une carte potentiellement

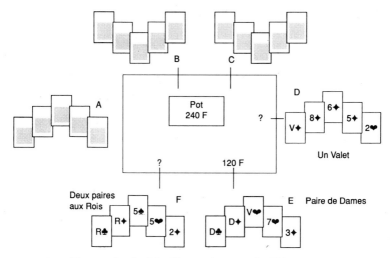

Exemple de bluff : mains après l'écart

dangereux qui, s'il a touché ou veut bluffer, risque de l'entraîner dans un coup cher. Tout bien pesé, F décide de passer et C, qui voit E miser en force, décide à son tour de ne pas essayer de bluffer et passe. E remporte ainsi un coup où il était perdant, par un bluff bien mené.

L'ABANDON DU BLUFF

Le bon sens commande de ne jamais poursuivre un bluff si l'on sent un fort jeu en face de soi. Un bon joueur doit savoir quand abandonner un bluff, pour éviter de déséquilibrer sa partie par des pertes trop conséquentes. Dans la même optique, il faut également accepter de se faire bluffer et ne pas faire la police systématiquement. Indiquons que lorsqu'un joueur vient d'être convaincu de bluff, il a intérêt à ne pas tenter de nouveaux bluffs pendant un certain temps.

COMMENT CALQUER SON JEU SUR CELUI DES AUTRES JOUEURS

Pour ouvrir ou suivre, on pourra se guider sur les habitudes des participants déjà entrés dans le coup : si au moins l'un d'entre eux joue serré, il faudra jouer soi-même serré sans s'accorder la moindre dérogation, en ne suivant qu'avec des mains plus fortes que les tables du chapitre 5 n'indiquent de le faire. Par contre, si les joueurs en lice au moment où l'on mise sont connus pour jouer « aéré », il faudra jouer de même et l'on pourra se permettre quelques fantaisies.

CHAPITRE 7

LE POKER OUVERT,
OU STUD POKER

Le Poker ouvert, ou « Stud Poker », est surtout joué aux États-Unis, où il dispose d'un grand nombre d'adeptes, souvent acharnés : il n'est pas rare en effet que les joueurs se cantonnent leur vie durant à une seule forme de jeu. On voit donc souvent les joueurs de fermé ne s'en tenir qu'à cette catégorie de jeu et les joueurs d'ouvert se spécialiser uniquement dans le « stud », où il existe de très nombreuses variétés de jeu. Nous étudierons maintenant les deux principales variantes de stud, qui sont le stud à cinq cartes à sept cartes et le Stud, dit « down the river ».

LE STUD A CINQ CARTES

Dans cette forme de jeu, le donneur distribue aux joueurs une carte face cachée et quatre cartes face visible, un tour d'enchères séparant chaque distribution de cartes visibles. Chacun mise en fonction de la force de sa main, à tour de rôle dans le sens des aiguilles d'une montre mais en commençant, contrairement au Poker fermé, non pas par le joueur situé à la gauche du donneur mais par le joueur possédant le plus fort jeu. Le donneur doit indiquer avant chaque tour d'enchères quel joueur a la parole en indiquant à voix haute le jeu de ce dernier, par exemple en disant « Les deux As » ou « Les deux As parlent ». Si deux joueurs ont une combinaison de force égale, c'est le premier servi d'entre eux qui parle le premier. Le donneur dit alors « Premier Roi » par exemple. Le joueur dont c'est le tour de parole dispose, comme dans le cadre du Poker fermé, des différents choix suivants :

- passer, c'est-à-dire n'effectuer aucune mise ;
- miser, c'est-à-dire déposer un enjeu au centre de la table ;
- égaliser, c'est-à-dire miser une somme égale à la plus forte mise déjà effectuée ;
- relancer, c'est-à-dire mettre une somme supérieure à la plus forte mise.

Seuls les joueurs ayant égalisé la plus forte mise sont autorisés à poursuivre le jeu.

Il n'y a pas de changement de cartes, le donneur distribuant en tout et pour tout cinq cartes seulement à chaque joueur. Le coup se termine donc soit quand la mise d'un joueur n'est égalée par aucun autre joueur, soit après les enchères faisant suite à la distribution de la cinquième carte : si un ou plusieurs

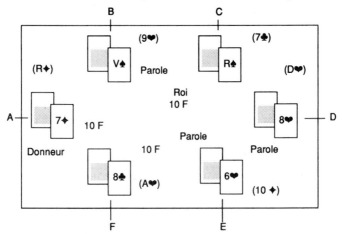

Première donne d'un coup de stud

joueurs sont encore en lice, ces joueurs montrent leur carte cachée, en commençant par le dernier relanceur. Naturellement, c'est le possesseur de la plus forte main qui gagne. Comme pour le Poker fermé, le joueur qui abandonne parce qu'il s'estime battu n'est pas tenu de montrer son jeu.

Le diagramme ci-dessus représente une donne de stud à la première distribution. La valeur de la carte cachée de chaque joueur est donnée entre parenthèses à côté de celle-ci. Le donneur demande au joueur possédant la plus forte main visible de parler. Il dit « Le Roi » et C décide de son action. Supposons qu'il ouvre avec 10 francs. D et E passent parce que leur jeu est très faible, F et A égalisent du fait de leur forte carte cachée et B passe. Le donneur opère maintenant une nouvelle distribution. La situation après la troisième carte est représentée au diagramme ci-dessous.

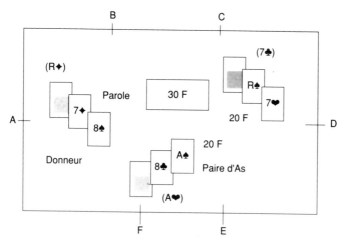

Deuxième donne d'un coup de stud

C et F touchent une carte qui, avec leur carte cachée, leur donne une paire. Le donneur dit « L'As parle » et F mise 20 francs. A, qui n'a pas amélioré, décide que le coup devient sans intérêt pour lui : F doit avoir une paire ou une forte carte cachée parce qu'il n'aurait pas suivi au premier tour sans avoir quelque chose à opposer au Roi visible de C. De plus, le fait que C ait un Roi apparent diminue les chances qu'a A de tirer un autre Roi. C suit parce qu'il a touché une paire et le donneur opère une troisième distribution de cartes. La situation à la quatrième carte est représentée au diagramme ci-dessous.

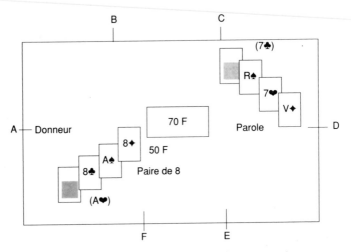

Troisième donne d'un coup de stud

C n'améliore pas sa main, tandis que F touche un 8 qui lui donne une paire visible. C'est donc à lui de parler. Il mise 50 francs : suffisamment cher pour que C doive payer le droit d'essayer d'améliorer sa main (d'autant que F n'a plus grande chance de faire le full, les quatre 8 étant déjà passés), mais suffisamment peu pour l'inciter quand même à le faire : F est grandissime favori avec ses deux paires-As puisqu'il sait en voyant la main de C qu'il ne peut être battu que par un brelan. C se retire du coup et F ramasse les mises.

LA STRATÉGIE AU STUD A CINQ CARTES

Le stud à cinq cartes prédispose peu à la dissimulation et au bluff, du fait qu'il n'y a qu'une seule carte cachée. C'est un jeu assez technique qui ne laisse pas grande part au hasard. Bien qu'au départ les mises soient souvent modestes, ce type de jeu est dangereux quand on ne l'a pas pratiqué souvent, les quatre tours de relance pouvant coûter assez cher. Cependant, les joueurs n'étant généralement pas tenus d'alimenter le tapis avant le début de chaque coup comme au Poker fermé à pot continu, il est possible de passer gratuitement toutes les mains faibles (pour donner un peu d'animation au jeu lorsqu'il y a peu de joueurs à la table, on instaure parfois une mise obligatoire avant chaque coup comme dans un pot). Par conséquent, la stratégie à appliquer est simple. Elle consiste soit à ne pas rentrer du tout dans le coup, soit à rentrer avec un jeu de force suffisante pour gagner. Une forte paire suffit en général pour gagner.

MAINS AVEC LESQUELLES ON PEUT PARTICIPER AU COUP

Nous venons de dire qu'il ne fallait rentrer dans un coup qu'avec une main de force suffisante pour gagner. On peut donc poser les règles suivantes :
• pour entrer dans un coup de stud au premier tour, il convient de posséder soit une paire, soit une carte cachée plus forte que les cartes visibles adverses : si l'on a par exemple une Dame cachée mais qu'un Roi est apparent, il ne faut pas participer au coup. Même dans ce cas, il vaut mieux en pratique que la carte cachée représente au moins un Roi et si possible un

As. Ces conseils peuvent sembler très restrictifs, et l'on voit d'ailleurs souvent des joueurs les enfreindre au premier coup par simple curiosité, pour voir quelle carte ils toucheront à la distribution suivante. Cette stratégie est erronée : il y a encore trois tours de relance à venir et il est inutile d'engager une mise même modeste sur un coup où vraisemblablement on ne pourra pas suivre les relances ultérieures. La stratégie inverse est seule correcte : l'abandon étant gratuit, un joueur n'a rien à défendre avant d'effectuer une mise et ne doit donc s'engager que lorsqu'il possède une main suffisamment forte ;

• la stratégie à adopter, pour suivre aux tours suivants, consiste à se conformer au principe de prudence qui vient d'être exposé. Si l'on possède une paire de dix mais qu'un joueur a une paire de Valets, il faut se retirer sans jamais insister. Le joueur possédant la plus forte main a en effet les probabilités avec lui et conserve toutes les chances d'avoir toujours la main la plus forte à la fin du coup. Rester dans l'espoir d'améliorer n'est jamais bon : cela peut marcher une fois, mais cette stratégie est perdante ;

• il faut éviter de s'engager sur un coup avec une possibilité de quinte ou de couleur, car le tirage ne rentre pratiquement jamais : au stud à cinq cartes, les mains se gagnent avec des paires, des doubles paires ou des brelans.

HAUTEUR DES RELANCES

Quand on a la chance de posséder une bonne main au stud, il faut jouer de façon agressive et faire payer les autres joueurs s'ils désirent rester : on a en effet si peu d'opportunités de rester dans le coup quand on suit les conseils prodigués plus haut qu'il convient de rentabiliser au maximum les rares occasions où on peut le faire. On a donc généralement intérêt à miser à la hauteur du pot. Un problème se pose toutefois lorsqu'on a le meilleur jeu apparent mais qu'on est en réalité loin d'être sûr de l'emporter, la carte cachée n'améliorant pas les cartes visibles. Selon quels principes faut-il miser ? Normalement, on fait sur ce cas comme si on avait réellement la meilleure main, à moins d'avoir de bonnes raisons de penser le contraire : d'une part, rien ne dit que l'on n'a pas la meilleure main, d'autre part, ne pas miser annonce de façon trop évidente que la main est faible. Ne pas relancer serait également donner une chance d'amélioration gratuite aux autres joueurs. Par contre, si l'on pense ne pas avoir la meilleure main, il vaut mieux ne pas miser : par exemple avec une Dame comme meilleure carte visible mais un six en carte cachée, il est probable que les autres joueurs qui suivront auront au moins un Roi ou un As en carte cachée. Il est donc inutile de miser (et sans doute même de venir). Il convient dans tous les cas d'opérer avec bon sens et de ne pas jouer automatiquement toutes les mains de façon identique : comme au Poker fermé, il faut savoir varier sa façon de jouer pour éviter d'être trop facilement percé à jour par les autres joueurs et pour les laisser dans le doute.

LE STUD A 7 CARTES

Le stud à 7 cartes, dit « down the river », est très différent du stud à 5 cartes : les joueurs reçoivent chacun 7 cartes et c'est leur meilleure combinaison, formée à partir de 5 de ces 7 cartes, qui compte. En pratique, le donneur distribue d'abord 2 cartes face cachée à chaque participant, puis successivement 4 cartes face visible, chacune de ces cartes visibles étant suivie d'un tour d'enchères. Il donne enfin une septième carte face cachée (down the river), suivie elle aussi d'un tour d'enchères. Il y a donc cinq tours de relance au Poker down the river. Comme pour le stud à 5 cartes, on n'exige généralement pas des joueurs qu'ils déposent une mise au tapis avant chaque coup : l'abandon d'une main est donc gratuit. Les joueurs encore en lice après le dernier tour d'enchères sont départagés selon la force de la meilleure combinaison possible, utilisant cinq de leurs sept cartes au choix. Le premier à parler à chaque tour d'enchères est, comme au stud à cinq cartes, le joueur possédant la meilleure main apparente. Il est désigné là encore par le donneur avant chaque tour de relance.

Quand on joue down the river, les mises effectuées aux premiers tours d'enchères sont habituellement moins élevées qu'au stud à 5 cartes, les deux cartes cachées représentant un facteur d'incertitude trop élevé pour qu'un joueur relance avec force.

LA STRATÉGIE AU STUD A SEPT CARTES

Les facteurs de chances tendant toujours à s'équilibrer, ce qui fait normalement la différence entre les joueurs à la longue c'est, comme dans le cas du stud à 5 cartes, la décision de rester ou de se retirer quand le coup est encore gratuit, c'est-à-dire après la distribution de la première carte visible. Le coup se gagnant généralement avec une forte double paire ou un brelan, comme au Poker fermé, la stratégie à employer est la suivante. Il faut :
• rester avec une forte paire ;
• rester avec une paire cachée, quelle qu'elle soit ;
• aller jusqu'à la quatrième carte avec une petite paire accompagnée d'une forte carte, mais se retirer si l'on n'a pas amélioré ;

• aller jusqu'à la quatrième ou cinquième carte avec un tirage de quinte ou de couleur.

En résumé, il ne faut donc rester que si les trois premières cartes de la main donnent à penser que l'on peut gagner le coup. Notons cependant qu'il est plus intéressant pour la suite du coup de posséder une paire cachée qu'une forte paire apparente.

TABLEAU 10 : FRÉQUENCE D'OBTENTION DE CERTAINES COMBINAISONS EN 3 CARTES			
Combinaison	Nom de la combinaison	Fréquence : 1 fois sur	en %
8♣ 8♦ 5♠	PAIRE QUELCONQUE	6	17
V♦ V♥ V♣	BRELAN QUELCONQUE	400	0,0025
9♦ 8♣ 7♠	DÉBUT DE QUINTE	5	20
D♠ 8♠ 4♠	DÉBUT DE COULEUR	20	0,05
9♥ 8♥ 7♥	DÉBUT DE QUINTE FLUSH	100	0,01

Le tableau 10 indique quelles chances on a d'obtenir une combinaison donnée dans les trois premières cartes.

Le tableau 11 donne les probabilités d'améliorer quatre cartes données en une combinaison spécifique. La connaissance de ces deux séries de chiffres, calculées pour une partie à 52 cartes, facilite grandement la prise de décisions utiles durant le jeu.

TABLEAU 11 : PROBABILITÉS D'AMÉLIORER UNE COMBINAISON DONNÉE APRÈS 4 CARTES			
Combinaison de départ	Combinaison d'arrivée	Fréquence : 1 fois sur	en %
DEUX PAIRES	FULL	4	25
BRELAN	FULL	2,5	40
	CARRÉ	2,5	40
TIRAGE DE QUINTE BILATÉRAL	QUINTE	2,3	43
TIRAGE DE QUINTE UNILATÉRAL	QUINTE	4,6	22
TIRAGE DE COULEUR	COULEUR	2,1	47

GLOSSAIRE

A

Achat : Fait d'ouvrir un pot sans voir son jeu, habituellement en effectuant une mise de même hauteur que celle du pot. L'achat est réservé au joueur situé à la gauche immédiate du donneur et donne droit à parler en dernier. L'achat est facultatif.

As : La plus forte carte du jeu. L'As prend une importance spéciale au stud Poker, où sa présence comme carte cachée revalorise considérablement une main.

B

Bilatéral (tirage de quinte) : Suite de quatre cartes consécutives. Un tirage de quinte bilatéral permet d'améliorer la main en quinte en touchant soit la carte supérieure de la suite, soit la carte inférieure de la suite : il y a donc 8 cartes favorables dans le jeu.

Blind : Somme obligatoirement misée, sans voir son jeu, par le joueur situé à la gauche immédiate du donneur dans les parties au blind. Blind est un mot anglais qui signifie aveugle.

Blindeur : Nom donné au joueur qui doit blinder. Le blind confère le privilège de parler en dernier, et donc de pouvoir éventuellement relancer.

Bluff : Manœuvre psychologique, parfois technique, dont le but est de faire croire à l'adversaire que l'on possède une autre main que celle détenue réellement.

Brelan : Main formée de trois cartes de même valeur. C'est une combinaison de force moyenne.

C

Carré : Main contenant quatre cartes de même valeur. C'est une combinaison extrêmement rare, l'une des plus fortes du jeu.

Carte cachée : Nom donné à la carte distribuée face cachée au Poker ouvert.

Carte isolée : Valeur de la plus forte carte d'une main quand celle-ci ne comporte aucune combinaison. La carte isolée représente le point le plus faible du Poker.

Cave : Somme dont les joueurs doivent se munir en début de partie. Un joueur peut acheter le nombre de caves qu'il désire. Il ne peut toutefois pas les restituer avant la fin de la partie. En pratique, la cave est matérialisée par un certain nombre de jetons.

Chip : Montant minimal d'une relance. Le chip est le plus souvent théorique, c'est-à-dire qu'il n'est pas payé. Cette enchère est normalement utilisée par le joueur désirant « voir » sans relancer.

Couleur : Se dit d'une main qui possède cinq cartes appartenant à une même famille, par exemple cinq Cœurs. Cette combinaison est forte, puisqu'elle ne peut être battue que par le full, le carré ou la quinte flush.

D

Décavé : Se dit d'un joueur ayant perdu tous ses jetons.

Donneur : C'est le joueur chargé de la distribution des cartes. Le donneur joue un rôle actif au Poker ouvert : c'est lui en effet qui indique aux autres joueurs qui doit parler en premier sur chaque coup.

Double paire : Se dit d'une main qui contient deux

paires. Cette combinaison est faible, et néanmoins suffisamment forte pour gagner la plupart des coups au Poker fermé ou au Poker ouvert à cinq cartes.

Down the river : Nom habituellement donné au stud à 7 cartes.

E

Écart : Ce terme désigne à la fois la phase d'échange des cartes et les cartes échangées elles-mêmes.

Égaliser : Miser une somme équivalente à la plus forte somme misée.

Enchères : Ce terme désigne à la fois la phase durant laquelle les joueurs peuvent miser et les mises elles-mêmes.

Épauler : Conserver une carte apparemment inutile lors de l'écart, le plus souvent dans le but d'induire les adversaires en erreur.

F

Full : Main contenant à la fois un brelan et une paire. Le full représente une combinaison très forte et très difficile à battre.

H

Hauteur (du pot) : Ce terme désigne la somme maximale pouvant être misée, égale au montant des enjeux situés au centre de la table. Il désigne le plus souvent aussi la somme minimale pouvant être misée : dans ce cas, la somme pouvant être misée doit être égale au montant des enjeux situés au centre de la table : ni supérieure, ni inférieure.

Hauteur (joueur à la) : On admet généralement qu'un joueur a la possibilité de se déclarer en début ou en cours de partie « à la hauteur ». Le joueur à la hauteur peut s'engager sur chaque coup jusqu'à concurrence du tapis adverse le plus élevé. Il n'y a normalement qu'un joueur à la hauteur par partie.

L

Limitée (ouverture ou relance) : Lorsque l'ouverture ou la relance sont limitées, les joueurs ne peuvent miser plus d'une certaine somme, qui le plus souvent est égale à la hauteur du pot.

M

Maquillé (écart) : Faire un écart maquillé est synonyme d'épauler et consiste donc à conserver une carte apparemment inutile lors de l'écart, le plus souvent pour tromper les adversaires.

Mise : Un des noms dont on désigne une somme risquée par un joueur.

O

Ouvreur : Nom donné au joueur qui décide d'entamer les hostilités en misant le premier sur un pot.

Ouverture : On décide parfois en début de partie qu'un joueur devra posséder une force minimale pour être autorisé à ouvrir un pot, par exemple une paire de Valets, de Dames ou de Rois. Cette hauteur requise est appelée l'ouverture. Les autres joueurs ont le droit de réclamer à voir l'ouverture après la fin du coup. L'ouvreur qui ne peut montrer l'ouverture doit reconstituer le pot à ses frais.

Overblind : Faculté réservée au joueur situé à la gauche immédiate du surblindeur dans les parties du blind, et consistant à miser sans voir son jeu une somme double à celle du surblind. Effectué de façon régulière, l'overblind confère les mêmes droits que le blind, c'est-à-dire le privilège de parler en dernier. Mais contrairement au blind, l'overblind n'est pas obligatoire.

P

Paire : Se dit d'une main possédant deux cartes de même valeur. Cette combinaison est une des plus faibles du Poker.

Parole : Enchère effectuée par un joueur ne désirant pas s'engager sur un coup.

Partie au blind : Mode de jeu dans lequel seul le joueur situé à la gauche immédiate du donneur est tenu d'engager de l'argent au début de chaque coup sans voir sa main.

Poker (fermé, ouvert) : Le Poker se subdivise en deux grandes familles : le Poker fermé, qui tire son nom du fait que toutes les cartes sont distribuées face cachée, et le Poker ouvert, qui tire le sien du fait que certaines cartes sont distribuées face visible.

Police (faire la) : Cette expression s'utilise quand un joueur paye une relance pour vérifier qu'il ne se fait pas bluffer.

Pot : Forme de jeu qui se caractérise par la présence d'une certaine somme d'argent au centre de la table (le pot) au début du coup. Cette somme est constituée par un apport obligatoire effectué avant chaque coup par chaque joueur. Un pot ne provient pas forcément d'une partie en pot continu, mais peut également tirer son origine d'une partie au blind quand tous les joueurs ont passé.

Pot continu : Mode de jeu où, contrairement à la partie au blind, tous les joueurs sont tenus d'engager de l'argent avant le début du coup, sans même voir leur main. Chaque coup se joue alors en pot.

Q

Quinte : Se dit d'une suite de cinq cartes consécutives appartenant à des familles différentes. La quinte représente une combinaison assez forte.

Quinte flush : Se dit d'une suite de cinq cartes consécutives appartenant à la même famille. La quinte flush représente la plus forte combinaison du Poker. Elle est toutefois rarissime.

R

Recaver : Se dit d'un joueur qui achète de nouvelles caves. Tout joueur peut se recaver à tout moment d'autant de caves qu'il le désire, à condition que ce soit entre deux coups.

Relance : Ce terme désigne une mise supérieure à la mise précédente.

S

Stud : Autre façon de désigner le Poker ouvert. Dans cette forme de jeu, un certain nombre de cartes sont distribuées face visible, contrairement au Poker fermé où toutes les cartes sont distribuées face cachée.

Suivre : Synonyme d'égaliser. Suivre consiste à ne miser qu'une somme égale à la plus forte mise précédente.

Surachat : Se dit du fait de doubler la somme misée par l'acheteur d'un pot. Cette faculté est réservée au joueur situé à la gauche immédiate de l'acheteur et donne droit à parler en dernier. Le surachat, qui, comme l'achat, s'effectue obligatoirement sans voir son jeu, est comme ce dernier facultatif.

Surblind : Se dit du fait de doubler la somme misée par le blindeur. Le surblind, qui doit être effectué sans voir son jeu, est réservé au joueur situé à la gauche immédiate du blindeur et ouvre droit à parler en dernier. Le surblind, contrairement au blind, est facultatif.

T

Tapis : Ce terme désigne soit l'ensemble des jetons situés au centre de la table (on parle alors du tapis de la table, ou plus simplement du « tapis »), soit les jetons d'un seul joueur. Il convient de décider en début de partie si un joueur dont le tapis est inférieur à l'ouverture fixée pour l'ouverture du pot peut ouvrir ce dernier ou seulement suivre si un autre joueur ouvre.

Tirage (de quinte ou de couleur) : Se dit d'une main qui contient seulement quatre des cinq cartes nécessaires à l'obtention d'une quinte ou d'une couleur.

U

Unilatéral (tirage de quinte) : Se dit d'une main contenant quatre cartes non consécutives pouvant toutefois former une quinte à condition de tirer la carte ventrale (par exemple 10, 9, 7, 6, 2), ou quatre cartes consécutives ne pouvant être complétées que par un seul bout, par exemple le tirage de quinte unilatéral ARDV7. Un tirage de quinte unilatéral ne permet d'améliorer sa main qu'en touchant une carte de hauteur spécifique, un 8 dans le premier exemple ou un 10 dans le second : il n'y a donc que 4 cartes favorables dans le jeu.

V

Voir (payer pour) : Fait d'égaliser la relance d'un adversaire, afin de comparer les mains pour voir qui est le vainqueur du coup.

TABLE DES MATIÈRES

Aubin Imprimeur

LIGUGÉ, POITIERS

Photo de couverture : Jérôme Da Cunha

Composé par Empreintes, Antony
Achevé d'imprimer en avril 1990
Nᵒ d'édition 1717 / Nᵒ d'impression L 35163
Dépôt légal : avril 1990 / Imprimé en France